Casa de
Santa María

母と子の未来への まなざし

母子生活支援施設
カサ・デ・サンタマリアの25年

宮下慧子＋須藤八千代＝編著

図書出版
ヘウレーカ

はじめに

須藤八千代

私と母子生活支援施設カサ・デ・サンタマリアのつながりは１９８０年代初めにまでさかのぼる。「横浜婦人母子問題研究会」のメンバーとして、緊急一時保護施設「ミカエラ寮」の設立に礼拝会のシスターたちと取り組んだのが始まりだ。まだドメスティック・バイオレンスやシェルターという言葉は私たちに届いていなかったが、それまでの婦人相談所の一時保護施設ではなく、売春防止法に縛られない女性の緊急一時保護の必要性を私たちは共有していた。１９８５年９月に開設した緊急一時保護施設「ミカエラ寮」がシェルターとよばれ、女性への暴力をＤＶというようになったのはそれから15年も後である。

母子生活支援施設カサ・デ・サンタマリアは、その同じ敷地に１９９６年にオープンした。女性と子どもを支援する大きな拠点ができたのである。

私は『増補　母子寮と母子生活支援施設のあいだ――女性と子どもを支援するソーシャルワーク実践』（明石書店、２０１０年）を執筆するにあたって、２００４年に中部地域を中心に21施設のフィールドワークをした。その中には老朽化しトイレも風呂も共用の施設がいくつもあったが、本では自分も住みたくなるような新しい施設を選んで写真も入れて紹介した。女性たちが再出発するために、よい情報を伝えたかったからである。そこでカサ・デ・サンタマリアについて次のように書いている。

（このような）母子寮空間のひとつ「カサ・デ・サンタマリア」は、横浜山手地区の閑静な住宅街に立っている。玄関には古い建物を壊したときそこにあった一本の木から作ったというマリア像がある。各階の一隅が共有スペースで、そこは子どもの心理療法のセラピールームにも使われていた。集会室の椅子や机、保育室の遊具などひとつひとつが手作りの良質なデザインの木製のものである。一階には地域の人も利用できるキッチンや和室、プレイルームがあり、二階の窓から下の公園で遊ぶ子どもの姿を確認することができる。

ソーシャルワーカーとして施設を訪れるたびに、細部まで配慮し尽くされた質の高い空間が女性と子どもを受け止めようとしていると感じさせられた。（161頁）

その当時も耳にした、「きれいにすると施設を出て行かなくなるから」と、劣等処遇をよしとするような言葉で離婚した女性と子どもを追い詰めるような現実を批判している時間はなかった。建物や環境というハードの問題だけでなく、母子寮から母子生活支援施設になるためには、払しょくしなければならない社会福祉や女性観の残滓があったのだ。それは社会福祉施設の管理を包摂した保護や、利用する女性を社会規範から逸脱しているとする考え方である。

社会福祉実習に行って希望を失ったという学生を、カサ・デ・サンタマリアに連れて行ったこともある。母子生活支援施設にもいろいろあるんだと、学生に教えたかったからだ。良いモデルを見てほしいと思った。このようにカサ・デ・サンタマリアは、私にとってソーシャルワークを考えるときの拠点である。

今や母子世帯、母子家庭と言わずシングルマザーと軽い表現が好まれる。暴力の痛みや苦しみをＤＶという二文字に変え、緊急一時保護施設はシェルターになった。しかし、そこにある現実や課題は言葉を換えても変わらない。

本書は当初、カサ・デ・サンタマリアの25年記念誌として企画されたが、その後の議論を経て書籍として公刊し、多くの人々に読んでもらうことにした。その理由は同じ時代を生きる女性や子どもたちを受け止める場所を示し、女性や子どもたち、そして母子にかかわる人たちをエンパワーメントしていきたいと考えたからである。

本書の構成について簡単に説明しておこう。

第Ⅰ部「母子生活支援施設を拓く――カサ・デ・サンタマリアの25年」で、本書の編者であり母子生活支援施設カサ・デ・サンタマリア開設時の施設長（現理事長）でもある宮下慧子は、「25年という時間は濃厚で、その流れは非常に速く、短かったと感じている」と書いている。25

年を四半世紀と言いかえて年月の長さを伝えることがあるが、開設という疾風怒濤の時点からの25年は濃く、速く、短かったに違いない。

このあいだに母子寮から母子生活支援施設に名称が変わっただけでなく、「母子の保護」に「自立支援」というある意味では乱暴ともいえる新たな方針が盛り込まれた。それだけではない。社会福祉制度の枠組みを大きく変えた社会福祉基礎構造改革によって、それまでの措置を契約にする制度改革もあった。カサ・デ・サンタマリアの25年は、このような社会福祉改革の荒波に翻弄された時間であった。

その波を乗り越えながら、常に新しい事業に取り組み続けてきたカサ・デ・サンタマリアの姿が宮下によって書かれている。それは施設にいる母と子のために何をしなければならないか考え実行する、ソーシャルワーク実践の生き生きとした記録である。この記録によって、私たちは母子生活支援施設が実現できる実践の可能性やモデルを知ることができる。

もう一度、現場に戻ってみたいと私に感じさせただけでなく、今、社会福祉施設で働く人々に多くのインスピレーションを残すと確信している。

第Ⅱ部「母と子に寄り添う人々――支援のリアル」では、さらに支援の細部に入りそのリアルな経験を書いてもらった。ソーシャルワークで支援、援助、介入などといわれるが、そのリアルな現実はなかなか見えてこない。日常的な行為をこのような専門用語に置き換えることによって失われてしまうからである。

また守秘義務や職員と利用者という関係性を超えて、一番大切なリアリティを文章として表現することは難しい作業である。私自身もがいてきた。しかし、これを外しては社会福祉の現実は伝えられない。今回は細木典子、寺田有市、篠原恵一の3人の職員が執筆した。それはほかのどんな原稿よりも母子生活支援施設のアクチュアリティを伝える記録である。

私は頭の中を駆け巡るさまざまな考えや理屈を手放して、この原稿の前に沈黙した。今、母子生活支援施設は施設の数も定員充足率も下がっている。その原因は何か、どのように改革するべきかという議論も必要だ。また時代の変化とともに、女性を取り巻く環境や女性たちの意識の変容も取りざたされている。しかし社会福祉施設というハードは簡単に変えたり壊したりできないことを3人の記録は教えている。

ここにある、支援する人とされる人との抜き差しならない関係とそこに生まれる現実を知らずに改革は語れない。改めてドナルド・ショーンのいう「技術的解決が不可能なほどに状況が『めちゃくちゃ』に混乱したぬかるんだ低地」を見つめ、その泥沼に人間の重要な問題があるという示唆を思い出した。

職員はその泥沼に足を取られているみっともない自分を隠さない。その誠実さを私は尊く感じる。

第Ⅲ部「アフターケアと多文化ソーシャルワーク」は、方《ばん》こすもと清水石《しずいし》道子によってカサ・デ・サンタマリアの主に外国籍の母や外国にルーツを持つ子どもへのアフターケア事業（退所者支援）とことばに焦点を置いた支援を、多文化ソーシャルワークの観点からまとめた論考である。アフターケアが多文化ソーシャルワークと重なるのは、外国籍母子が多いカサ・デ・サンタマリアの持つ特質を反映しているが、もちろん、すべての退所者を視野に入れている。

社会福祉の援助や支援は、長い時間を必要とする。それにもかかわらず政策や制度では短期的なシステムによる効率的な方法が評価される。施設にいる年数やアフターケアの期間についても、結果をなるべく早く出すことが要求される。このような社会のシステムと時間のかかる支援の現実の間に現場は挟まれている。その葛藤をどのように整理し実践してきたかをここでは明らかにしている。

「外国人母子のことば」に焦点をあてた清水石の論考は、２０１３（平成25）年にカサ・デ・サンタマリアがまとめた報告書『外国籍在日母子への入所からアフターケアまで継続可能な支援の試み――日本で生活する外国につながる子どもの将来に向けて』をもとにしている。経済的自立に支援の目がいくなかで、「ことば」に注目する大切さを私たちに伝えている。

第Ⅳ部「母子生活支援施設のこれからを問う」では、母子生活支援施設を研究する武藤敦士、横山登志子、須藤八千代の３人が執筆している。私たちはカサ・デ・サンタマリアを離れて、それぞれの視点から母子生活支援施設にアプローチした。社会福祉学では、母子生活支援施設をテーマにした研究は少なく今回は貴重な機会となった。

３本の論考は母子生活支援施設に向けて批判的に論じながら、この先の新しい展望を模索している。研究が現場実践にどれだけの力を及ぼすことができるか自信はないが、当初の一施設の記念誌にとどまらない挑戦的な一冊としたいという私の要請に、おふたりの研究者が応えてくれた。

今、母子生活支援施設は記念のお祝いや回顧では済まされない転換点に立っている。社会の変化とともに、母子生活支援施設が立ち向かう方向が見えなくなった。それは関係するすべての人が持つ共通感覚である。何が変わり何が変わらないのか、女性や子どもにとって必要なことは何かについて暗中模索していることを、関係者の議論を聞きながら感じている。

だからこそ、この本をつくる機会を十分に生かして、多様な人々の視線と意見を集めたい。それが母子生活支援施設の未来に向けた第一歩である。本書はその重大な役割を担おうという決意表明でもある。

母と子の未来へのまなざし†もくじ

第Ⅲ部　アフターケアと多文化ソーシャルワーク

第Ⅳ部　母子生活支援施設のこれからを問う

＊本書に掲載されている事例はプライバシー保護のため、事実関係を変えています。

第Ⅰ部

母子生活支援施設を拓く

カサ・デ・サンタマリアの25年

1　母と子の尊厳を守るために

宮下　慧子

カサ・デ・サンタマリア設立の経緯

母子生活支援施設カサ・デ・サンタマリアは、社会福祉法人礼拝会（以下（福）礼拝会）により1996年3月1日に設立され、2021年に25周年を迎えた。

カサ・デ・サンタマリアは、宗教法人「聖体と愛徳のはしため礼拝修道女会」（以下礼拝会）が1985年に開設した、女性の緊急一時保護施設ミカエラ寮の延長線上の事業として設立された。当時顕在化してきていたドメスティック・バイオレンス（以下ＤＶ）等でミカエラ寮に入所する母子世帯数は増加の一途を辿っていた。当時、まだ母子生活支援施設は母子寮と呼ばれていたが、入所希望者が多く、入所して支援を受けるべき母子が入所をあきらめることもあった。（福）礼拝会では、この現実から、一時保護期間中には解決できない母子世帯の持つ課題に、長期的なスパンで取り組み、養育や自立を支援するという目的で母子生活支援施設（当時母子寮）の創立に踏み切った。

礼拝会設立の目的

（福）礼拝会は、国際的なカトリック修道女会である礼拝会の理念を社会福祉活動において具体化する法人である。礼拝会は何を目的として創立されたのであろうか。

礼拝会は、１８５６年マリア・ミカエラ・デスマイシエーレス・イ・ロペス・デ・ディカスティージョ（以下ミカエラ）によってスペインで創立された。会憲にはつぎのように規定されている。

「聖体に現存するイエスへの強い愛に駆られて、売春によって抑圧されている女性を解放し、その更生を助けて、当時の社会の緊急の必要に応えた。」（会憲１）

聖体とは、カトリック教会で、キリストの死と復活を記念するミサにおいて、司祭が祈りによって、ホスティアと呼ばれる小さなパンをキリストの体（聖体）として聖別（他とは別な聖なるものとする）し、信徒はこれを拝領（敬いの心をもって食べる）する。聖書の一節に次のようにある。

イエスはパンを取り、賛美の祈りを唱えて、それを手で分け、弟子に与えながら言った。「取って食べなさい。これはわたしの体である」（マタイ福音書26：26）

ミカエラは、1809年マドリードの貴族の家庭で誕生した。カトリックの貴族の女性たちは弱い立場の人々を救済する慈善事業を当然の義務として行っていた。ミカエラの家庭が行った貧しい人々への援助やコレラ発生時の救援活動には目を見張るものがあるが、ミカエラ自身は「貧しい人々に対しては、その不潔さのために嫌い、なぜ貧しいのか考えもしませんでした」（マリア・ミレナ・トフォリ・モヤノ編著『聖体のミカエラ自叙伝』1-2）と述べている。

しかし、ミカエラは少女時代から貧しい子どもたちに識字教育を行い、生活困窮者や病人等を訪問して愛情を込めて援助していた。それは、生来もっていた人の痛みに共感できる感性や活発な行動力もあるが、彼女の精神を貫いているものは、貧しい人々、障がい者、罪人と呼ばれ差別されている人々を大切にし、自らもその一人として十字架につけられて死に、復活によって人類を救われたキリストへの熱い信仰であった。特に聖体に現存されるキリストを崇敬し礼拝して、そこから精神的な力を受けていた。

ミカエラが売春婦と呼ばれて差別されている女性たちの存在を知ったのは、慈善団体の婦人に伴われて訪問した寄る辺のない人々を保護する神の聖ヨハネ病院での「赤いショールの女性」との出会いであった。自分がパリで買ったのと同じ高価なショールを持つこの女性は、裕福な銀行家の娘で、騙され、売春婦とされて転落し、生ける屍となってこの病院に収容されていた。この女性の身の上話により、ミカエラは売春によって女性の尊厳が蹂躙《じゅうりん》され、差別されている人々の孤独や苦悩に深く共感し、世界観は完全に変わってしまった。

神の聖ヨハネ病院での奉仕活動を通して、ミカエラは一つのインスピレーションを受けた。それは、病院を退院した女性を保護して養生させ、その後自立に向けて援助する再教育センターの構想であった。この構想は１８４５年マドリードで「デスアンパラダスの家」として実現され、礼拝会の起源となった。しかし「デスアンパラダスの家」が再教育センターとして定着し機能していくためには、センター設立の提唱者であるミカエラ自身が貴族としての華美な生活や縁談を捨ててセンターで女性たちとともに暮らし、近くて親しい距離感の中で、後に「愛の教育学」と呼ばれる教育法を確立していく必要があった（「愛と教育学」については２９９頁のコラムを参照）。

売春女性を救済しようとするミカエラの姿勢は、家族や社会一般には理解できるものではなかったために、その道程は孤独で、中傷や誹謗、女性たちを食いものにしている男たちからの脅迫などに満ちていたが、聖体に現存されるキリストへの愛に駆られて事業を続けた。そして、この事業に教師として献身した女性たちとともに「聖体と愛徳のはしため礼拝修道女会」を創立したのは、「デスアンパラダスの家」の創設から11年後の１８５６年であった。その使命は、聖体のイエ

マリア・ミカエラ・デスマイシエーレス・イ・ロペス・デ・ディカスティージョ

スの「継続礼拝」と、売春によって疎外、搾取されている女性および他のさまざまな隷属の犠牲者たちの解放と向上に尽くすことである。

日本での始まり

1928年に3名の礼拝会会員（以下シスター）が来日し、1933年東京で開始した保護更生を目的とする若い女性のための施設「財団法人聖体礼拝会白菊寮」（以下白菊寮）が（福）礼拝会の基盤となっている。太平洋戦争により1945年白菊寮は灰燼《かいじん》と化した。同年の秋、戦時中スパイ防止のため軽井沢に強制疎開させられていた外国人のシスターたちによって元白人用避病院（伝染病院）であった現在地（横浜市南区唐沢41番地）の建物で修道院と「白菊寮」が再開された。1946年には厚生省委託として神奈川県初の婦人更生施設白菊寮（定員100名）を川崎市大島町で開始し、当時パンパンと呼ばれていた女性たち、アメリカ兵相手に売春を行っていた女性たちの保護を行った。この婦人更生施設の運営は困難であり、神奈川県の要求も厳しかったことで売春防止法の成立を機に閉鎖した。

その後は幼稚園やインターナショナルスクールの教育事業や勤労女性や学生のための一般的な女子寮を東京、横浜、愛知、大阪、福岡で経営した。礼拝会が使命とする婦人保護事業から離れたのである。辛うじて第二種社会福祉事業の低額無料宿泊所「聖家族寮」は続けてはいたが、礼拝会経営の他の一般的な女子寮と大差ないものであった。しかし一般的な女子寮においてもシスターたちはそこに何人かの問題を抱える若年女性を受け入れ、周囲にはそれとわからない方法で

東京市麹町の白菊寮の外観（1933年）。

支援していた。わたし自身も女子寮の寮生として何年かを過ごしたが、楽しい青春時代を同じ寮で過ごした人が妊娠して困難な状況にあったり、家族からの性的虐待の被害者であったりなどにはまったく気づかず、シスターになって初めて知ったことであった。

１９６０年代に行われたカトリック教会第二バチカン公会議の決定により、各修道会は創立の源泉に還ることが求められた。礼拝会でも１９７０年代から１９８０年代にかけて現状の見直しと、礼拝会が現在求められている「女性の解放」について世界的規模での模索が始まった。同時に会員の再教育も開始された。その結果、今まで、カトリック修道会の事業として、宗教的な愛の精神と熱意を軸としてシスター中心に事業を行ってきたが、その狭さから脱皮し、広い視野に立って、現在の女性問題について学ばなければならないとの認識であった。今の日本ではどのような問題やニーズがあり、誰が問題に携わり、どのような支援が行われているのか、何が足りないのか。その中で礼拝会ができることは何か。シスターはチームを立ち上げリサーチを開始した。女性の問題に携わっている機関や人々との関わりを求め、婦人保護施設をはじめとする施設の見学や学びを行った。

横浜婦人母子問題研究会との出会い

そこでいろいろな機関やグループ、女性問題に関わる行政の職員との関わりやその関連の研修会への参加の道が開かれていった。その中での運命的な出会いは、矯風会の「売春問題研修会」で東京都の婦人相談員であった兼松左知子さんとの出会いから、横浜市の婦人相談員であった土井良多江子さんを紹介され、横浜市の福祉職員たちの自主研究会「婦人母子問題研究会」と接触が持てたことであった。ここから新しい道が開けていった。なぜなら、土井良さんを中心に新たな動きが起こっていたからである。

女性福祉の公的な担い手は、「売春防止法」（1956年成立）に基づいて各都道府県に配置されている婦人相談員である（売春防止法の婦人相談員という表記とともに、近年は女性福祉相談員と呼ぶことが多い）。「売春防止法」による職務は、要保護女子つまり売春の恐れのある女子に対する保護更生のためのものであった。

その後、時代の要請による改正で、現在は売春に関する要保護女子の発見、相談、指導に留まらず、これらに付随する業務として次のものにまで拡大している。

①配偶者からの暴力被害者（2002年）

②家庭環境の破綻や生活の困窮等で保護、援助を必要とする者
③人身取引被害者（２００４年）
④妊娠期からの妊娠・出産・子育て支援（２０１１年）
⑤ストーカー被害者（２０１３年）
⑥若年被害女性（２０１８年）

１９７０年代から80年代は、福祉分野においてもジェンダーの視点はなく、当時顕在化してきていた「女性への暴力」も問題とされていなかった。当時の相談業務の現場では、相談に来る女性自らが問題を引き起こす側の人と認識され、問題を解決できない能力のない人であるという女性蔑視が沁み透っており、相談員は社会常識で説き伏せ、自らの誤りを直すように忠告するものであったという。「これはおかしい」と感じても具体的な問題解決の場も支援方法もないために、婦人相談員たちは自主研究グループを立ち上げ、「横浜婦人母子問題研究会」に発展した。*1

礼拝会はこの研究会を通して、「今、現場で働く人々が痛感しているニーズ」を吸い上げていった。福祉事務所や児童相談所で、女性や子どもたちの問題状況の発生つまり「女性への暴力」「家庭崩壊」「母子の貧困」等に、日々緊急対応を迫られていた婦人相談員やケースワーカーたちの期せずして一致した要望は、「今日行く所がないと言って窓口に来る女性たちを、とりあえず一時受けとめてもらえる場所が欲しい」であった。新しい事業を模索していた礼拝会との接点に見えてきたものは「行政の福祉からもれる女性、多くの問題を抱えている女性たち、特に

今夜行く所のない女性と子どものための現代の駆け込み寺」（シェルター）の設立であった。当時、神奈川県には婦人相談所や江の島女性センターはあっても、出産ケースや生後3週間未満の乳児は入所できないなどの不承認事項により受け入れてもらえない女性たちが多くいた。

このような経緯から、修道院の4階部分を使って女性の緊急一時保護施設ミカエラ寮を1985年9月1日開設することになった。ほどなく、礼拝会は横浜のインターナショナルスクールと幼稚園を廃止した。

女性の緊急一時保護施設ミカエラ寮

女性の緊急一時保護施設ミカエラ寮は、（福）礼拝会の公益を目的とする社会福祉法外事業として位置づけられた。目的はさまざまな理由から行き場を失い、差し迫った状況の中で緊急の一時保護と自立への支援を必要とする女性とその同伴児（者）を国籍・障がい・年齢等で差別することなく、対応が可能な限り受け入れることと、妊産婦および転落の危機にある若年女性の自立援助にも力を入れることであった。モットーはキリストと創立者マリア・ミカエラの精神に基づき、人間尊重「このひとりを大切に」である。

特色は危機対応で、行き場のない女性をいつでも、子どもと一緒に即時受け入れること、産み育てを大切にすることであった。具体的には、緊急に保護した女性と子どもたちの心身の回復と自立を目指して、安全で清潔な住まい、食事、生活相談、社会資源の紹介および教育プログラムを提供した。危険性がなければ通勤・通学の援助も行った。また、エンパワーメントを目的にイベントなどで楽しんでもらった。さらに、自分の問題に向き合い、今後について考えられるように面接を行った。

入所者の自立支援の責任は、入所者の相談を受けた区役所（市役所）であるが、ミカエラ寮は生活現場でのふれあいで、入所者の強みや弱さ、さまざまの能力、願望を理解することができた。今後の方向性を決めるのに、情報の提供や代弁をすることで、自立への方向性がより実効性のあるものとなるように努めた。

１９８５年創立以来、利用者は増加の一途を辿った。定員12名であったが常に定員オーバーで、1日平均利用者数は15・9人であった。この頃急増するドメスティック・バイオレンスの被害者の理解と支援のために「ドメスティックバイオレンス　トレーニングマニュアル」を和文仮訳して、職員研修会を行った。[*2]

１９９８年、増加し続ける利用者と事業の現状分析から問題状況を把握し、事業の展開のための新たなプランの仮説を立てることになった。入所者のケースは次の3つに分けることができた。すなわち①緊急一時保護ケース、②産前産後のケース（若年・未婚・養育能力に欠ける）、③10代女子の自立援助であった。産前産後のケースについては、母子それぞれにとって人生で最も祝福され、注意深く世話をされるべきこの時期にもかかわらず、生後3週間未満の乳児は公的一時保護施設では受け入れられなかった。そのため、病院退院後子どもは乳児院に、母親は婦人相談所へと離れ離れにされるという現状があった。また新生児を抱えた10代の若い母親や精神疾患の母親、育児に不安を抱える母親の場合は、アパートの一室に孤立して養育ができるのかという不安もあった。1990年頃から、母子寮が空かなくなり、入所まで5か月くらい待つ人や、県外の母子寮に行かざるを得ない人、待ちきれずに方向転換する人もあり、「何とかしてほしい」と思っていた。この現状からわたしたちも小さな母子寮のようなものができないかと考えるようになった。

母子生活支援施設設立と地域住民の反対

1991年横浜市児童課より「母子寮をやってみないか」との打診があったが、この時点では考え方に違いがあった。横浜市は普通の20世帯の母子寮を考えていたが、（福）礼拝会は出産ケースを受け入れ、長いスパンをかけてその自立を支援する10世帯の小規模で家庭的な雰囲気のある母子寮を望んでいた。（福）礼拝会は援助という夢からの出発であり、行政は現実の必要性に基づいていた。

検討を重ねた結果、横浜市が要望する20世帯で受けることになったが、この年は資料不十分とのことで計画案は通らなかった。その結果、横浜市児童課ではミカエラ寮の全記録はもとより、各福祉事務所・児童相談所の窓口などで母子寮の潜在的需要ケース数を拾い出し、改めて資料を充実させ、その必要性を立証した。その結果1993年3月の市議会を経て、20世帯に緊急一時保護室3室と地域交流スペースも備えた母子寮新設が決定した。*3

新設の母子寮は2か年計画で、1994年3月末実施設計を完了した。この実施設計には修道院とミカエラ寮の全面改築も含まれており、まず一期工事として修道院とミカエラ寮を1995

年の完成とし、新母子寮は二期工事で1996年完成となった。この3つの建築計画のために礼拝会と（福）礼拝会は合わせて約5000㎡の土地の半分以上を建築資金などのために横浜市に売却し、横浜市はこの土地を2年後には新母子寮に隣接する唐沢公園とした。

全体計画では、第一期工事の修道院とミカエラ寮が完成して、シスターとミカエラ寮入所者が入居してから、この土地を横浜市に譲渡することになっていたが、1994年は内閣が3回交代するという政府の混乱のため母子寮の建築許可が下りず、「同一敷地内の用途上不可分な2以上の建物」（同じ敷地内に、社会福祉法人の母子寮と、宗教法人の施設の2つの建物を建てるということ）という状況から修道院の完成も2か月遅れた。やむを得ず1995年1月17日、シスターとミカエラ寮入所者は、鎌倉、横浜市内2か所の計3か所に移動して土地を引き渡した。その日に阪神淡路大震災が起きた。そして2か月後に修道院とミカエラ寮が完成し、建設のあいだ移住していたところから戻るときに地下鉄サリン事件が起こった。

ところで、この建設計画について地域住民らの間で反対が起こり、地域住民との話し合いが行われた。地域住民の社会福祉施設への偏見や無理解を体験することになったが、同時に設置主体者である礼拝会と地域住民との関係が今まで疎遠であったことを深く反省した。幼稚園の子どもたちや保護者たちとは親密であたたかい関係をもっていたが、それ以外の近隣住民の方たちとは交流していなかった。またインターナショナルスクールの生徒や保護者は米軍のベースから通学しており、地域住民ではなかった。

話し合いの場で地域住民から「我慢が足りずに離婚したふしだらな女性と子どもが、高台で一番日当たりのよい鉄筋コンクリート建てエレベーター付きの住宅に住み、わたしたちは小さな木造の家で営々と生活して税金を払っているのはおかしい」「福祉施設ができると地域の風紀が悪くなる。地価が下がって相続する子どもたちに申し訳ない。風評被害が起こる」「隣接地に公園ができても施設の子だけが使うのであろう。礼拝会の行っていた幼稚園やインターナショナルスクールのことで地域住民は迷惑を被っていた」などの発言があった。また桜の花びらや萼《がく》をバケツ一杯持ってこられた人もいた。当施設の桜の木が迷惑をかけているとのことで、それを訴えるためであった。法の基準を遵守した計画であったが、建物のセットバックや4階部分の一部を削除する設計変更および園庭の何本もの桜の木の伐採など大幅な譲歩によって、和解が成立した。

１９９３年3月市議会での母子寮新設の決定を受け、礼拝会と（福）礼拝会では人事異動が行われ、わたしは母子寮の責任者となるべく、１９９３年4月1日付で東京の学生寮からミカエラ寮に転勤となり横浜に移り住んだ。

転勤前の1年間、ミカエラ寮勤務のシスターの外国留学の穴埋めを兼ねて、毎週金曜日から土曜日にかけて1泊2日のミカエラ寮での体験学習を行っていた。当時わたしは礼拝会が東京都世田谷区で経営する学生寮の責任者であったので、在寮している約80人の大学生たちを、彼女たちの知らない現実に触れてもらうために順次ミカエラ寮に連れてきていた。彼女たちは有名大学から各種専門学校にいたるまでの約20校の学生たちで、地方のミッション系の高校卒業生が多く、教育熱心で経済的にも恵まれた家庭の出身者であり、親からの庇護と十分な教育を受けて青春を謳歌していた。連れてきた学生のひとりが、ミカエラ寮での強烈な体験を話したことを忘れることができない。一緒に昼食をしていた16歳の少女が「女ってかなしいですね」と言ったという。「16歳の子がですよ」と彼女は強調し絶句した。わたしも同じく絶句した。学生寮で何不自由なく暮らし、将来に向けて学び遊び豊かな体験を蓄積している学生たちと、ミカエラ寮の16歳の少女の体験の相違、生きてきた文化の土壌の違いはあまりにも大きい。この少女にはどんな未来が開かれるのだろうか。少女のつぶやきにも似たことばとミカエラ寮で出会う女性と子どもたちは、わたしに社会の中に存在するさまざまな層の存在とその文化について考えさせるチャンスとなった。

学生寮から女性の福祉の仕事へ ―― 開設と学びの日々

わたしは、女性の福祉に関わりたいとの願いから、社会福祉の勉強はしていたものの、学生寮勤務が長く、大学生など若い女性の社会教育的な経験と幼児教育の経験しか持っていなかった。いわば自分の人生も含めて陽の当たる層というか場所で生き、そこでの人々との出会いや交わりしか知らず、また自分と同じような文化の中に生きながらもＤＶや家庭内暴力、障がいや病気で人知れず苦しんでいる女性たちの存在を知らなかった。一緒にカウンセリングを学んでいた女性のひとりは今から思えばＤＶ被害者であった。ミカエラ寮への異動は、ミカエラ寮の入所者についての理解を深めながら、母子寮について学ぶことと母子寮の新設に具体的に携わるためであった。

母子寮新設に関わってきたメンバーとともに、行政との会議に出席したり、設計者や横浜市職員と共に母子寮や地域ケアプラザの見学を行ったりして、設置運営法人や行政の方針、入所母子の現状や置かれている環境、受けているケア、緊急一時保護や地域への施設の解放などについて学んだ。神奈川県はもとより、東京、千葉、栃木、京都、大阪、兵庫の母子寮を見学させていただいた。

その中の3施設では数日間の通いの実習をお願いし、最後の新潟の「みこころ荘」では、空いていた寮室を1週間提供してくださったので、入所者と同じように生活し、施設全体の流れを理事長と一緒に経験することができた。夕方、お母さんたちが職場から帰ってくる様子、子どもたちが学習室から飛び出してお母さんにまとわりつく様子、食事の匂いや話し声などから生活そのものが手に取るように伝わってきた。また朝から夜までの職員の動き、利用者への対応や関わりは貴重な学びとなった。特に「みこころ荘」の設置経営法人はカトリックの修道会であったために、経営理念や方針には興味を持った。一般的に、カトリック修道会の設置する事業において責任者は司祭やシスターが多いが、「みこころ荘」では寮長をはじめ職員全員が一般の方で形成されていた。しかし、施設全体にはカトリックの雰囲気があった。また横浜の「総持寺母子寮」では仏教に基づいた理念からの実践も見せていただいた。宗教を背景に持つこの2つの施設で共通に感じたことは、すべてを包み込むような大らかさと優しさであった。

カサ・デ・サンタマリアが目指したもの

カサ・デ・サンタマリアの理念と目的、就業規則

母子生活支援施設は児童福祉法第38条に基づき、母と子を一緒に受けとめる入所施設であり、その目的はつぎのように定義されている（なお、ここでは条文そのままではなく、意味を変えない範囲でわかりやすい言葉に変えている）。

配偶者のない女性やなんらかの事情で離婚が成立していないといった女性と子どもを受け入れて保護し、自立に向けてその生活を支援することを目的とする。あわせて、退所者についても相談やそのほかの援助を行うことも目的とする。

全国母子生活支援施設協議会倫理綱領にはつぎのような指針が述べられている。

母子生活支援施設に携わるすべての役員・職員は、母と子の権利擁護と生活の拠点として子どもを育み、子どもが育つことを保障し、安定した生活の営みを支えます。

そして、カサ・デ・サンタマリアは就業規則前文で、施設の目的と方針をつぎのように示している。

母子生活支援施設カサ・デ・サンタマリアは、児童福祉法第38条に基づいて、配偶者

のない女性及びこれに準ずる女性とその子どもを受け入れ、個々人の自己実現と自立を支援するものである。平等の原則を旨とし、性別・人種・国籍・職業その他のあらゆる差別や人権侵害を許さない。

この運営は、キリスト教と経営母体である礼拝会創立者マリア・ミカエラの精神に基づき、なによりも一人ひとりの存在を敬い、その主体性や意思を尊重して行う。すなわち、種々な意味で弱く貧しい立場に追い込まれている母子が、安全で健全な住まいと必要な種々の支援を受け、また、関わるすべての人々との交わりを通して、直面している困難と束縛から解放されて、一人ひとりのいのちと可能性を育て合えるよう努めることである。更に、地域に根づいた一つのコミュニティとして、入居者とともに地域福祉の向上に貢献する。カサ・デ・サンタマリアに入所する母子が、与えられたいのちと能力や可能性を大切に育て、安定した人生を喜びのうちに生きることができるように、入所から退所後までを見据えた一貫性のある支援を行い、安定した生活を継続できるように支える。

引き継がれる創立者の理念

カサ・デ・サンタマリアの設置主体（福）礼拝会では、礼拝会創立者マリア・ミカエラの精神と教育法を大切にしている。１８５０年代創立者が尽くした売春女性たちと現在の母子生活支援施設入所者との状況はまったく同じではないが、自立支援ということでは共通しており、現代にも価値ある原理を含んでいる。創立者が最も大切にしたことは女性の尊厳への尊敬である。

幼少期からの家庭の貧困、両親の不和や離婚などによる不安定な成育歴の中でのネガティブな体験、ＤＶなどにより心身ともに傷つき、自尊心や自信をなくしている女性の癒しと自立支援のためには、つぎのことは特に大切だと考える。

1　おもてなしを感じる雰囲気や気遣いに表していた女性に対する信頼と尊敬
2　現実の問題のより良い解決方法を考え、探し、展開する実用的な感覚
3　「自分が受け入れられ、大切にされている」と感じてもらえるような関わり
4　女性が自分の成育歴を受け入れ、自分の価値を自覚し、自分が望む人生に自分自身を方向づけ、責任を持つようになるための同伴
5　出会いを大切にする

「ご縁があってカサ・デ・サンタマリアに来た」ということを、キリスト教では「神に導かれてカサ・デ・サンタマリアに来た」と表現する。入所者は神が送られた人である。

カサ・デ・サンタマリアでは、創立以来礼拝会に流れている姿勢を根底に置き、今日的な支援方法を模索し実行した。

人との出会いのチャンス

入所母子が職員との出会いと関わりから、いろいろな人間のモデルを知るように性別、年齢、身分、性格の異なる職員を配置した。特に男性職員には暴力を振るわない男性、そして健全な父性のモデルを期待した。職員には専門的な知識だけでなく、人間的な成熟が求められる。むしろ年齢に応じた人間的成熟の土台の上に専門的な知識が必要である。そのために専門的な研修と共に広い意味での研修の必要を感じて、日本の福祉だけでなく、海外での先駆的な取り組みや、反対に困窮者が法で守られない国々での福祉のあり方や、多くの女性たちを日本に送り出している発展途上国の現状を知るために海外研修を行った。また世界35か国で女性の解放のために活動している礼拝会の国際的な会議や研修会にも出席している。職員だけでなく、公私にわたる多くの方々から申し出をいただいて、カウンセリング、マインドフルネス、フラダンス、ヒップホップダンス、エアロビクス、ピアノのレッスン、フラワーアレンジメント、茶道、モンテッソーリ教育、アフターケア等の担当として関わっていただいた。

快適な住まいの提供

先に紹介した理念を実現するために、職員というソフト面はもちろん重要だが、わたしたちはハード面にもその理念を反映させたいと考えた。

カサ・デ・サンタマリアの外観をみて、おそらくほとんどの人は一般的なマンションだと思うだろう。場所は横浜市街や富士山が一望できる高台の住宅街、隣には公園がある。その場所に溶

カサ・デ・サンタマリア建物概要

敷地面積	1758・14㎡
建物構造規模	鉄筋コンクリート造、地下１階地上４階建
建物概要	母子室（20世帯）：２ＤＫ14室、１ＤＫ６室 緊急一時保護室（３世帯）：１ＤＫ３室 　各母子室にトイレ・バス・ベランダ付 地域交流スペース（地下） 　多目的ホール、談話室、和室、調理室、トイレ、更衣室 事務室、保育室、医務静養室、学習室、子どもの部屋、 面接・会議室、カウンセリングルーム、警備員室、宿直室、 トイレ２か所（１つは車椅子対応）、法人用事務室、 倉庫４、洗濯室

け合うように立っている。建物内に入っても、「マンションのよう」というその印象は変わらないだろう。

母子が入居する母子室には、台所、風呂、トイレ、ベランダがあり、母と子が生活に必要なすべてを自室で行うことができる。つまり、世帯の独立性を保障することが可能である。電話や冷暖房、洗濯機置き場もあり、その当時の一般的な住宅にある設備を用意した。今なら当然のことであるが、当時の多くの母子寮はそうではなかった。まずは生活の場である建物からノーマライゼーションを実現したかった。

利用者のみんなが使う共有部分の床は暖かみのあるモザイクパーケットを敷き、階段には手すりを付け、階段一段の高さも幼児や子どもに合わせている。

子どもが関わる部屋の備品の材質や形は、上質でぬくもりがあり、機能的であるように配慮した。それはある児童養護施設で聞いたことに由来する。「心が荒れている子どもたちはプラスチック製の家具や化繊製品はナイフで切り刻んだりするが、本当の木材や布にはしない」ということであった。木材や綿・絹・羊毛にはそれらが生きていたときのぬくもりが残っているのを子どもは直感的にわかっているのかもしれないと思った。だとすると、それに触れることは癒しにつながるのではないかと考えて、子どもの学習室のテーブルや椅子、本箱、保育室の遊具は木製を購入することにしたが、設計者から各部屋に合わせて制作する方が機能的で、室全体の調和もとれるという助言があり、インテリアデザイナーにナラ材で依頼することにした。施設の方針として家具を大切にしているので、子どもたちも愛着を持って使い、時と共に一つひとつのものの味が出てきていると感じる。

玄関正面のマリア像は横尾龍彦画伯の彫刻で、建築会社からの記念品である。母子寮建設に地域住民から反対があり、その和解のために法人が伐採した隣家との境界線上にあった桜の木で作られている。

マリア像（横尾龍彦画伯作）

このように現在の住宅の一般的な水準を十分に満たしており、住む人が気に入り、子どもが友だちを呼びたいと思うような家となった。しかし、同時に考えなければならなかったことは、地域への施設の解放と夫などからの暴力被害者である母子を守るための閉鎖性との両立であった。その方法としてたとえば、地下に設けた地域住民との交流スペースへの出入りは玄関ポーチ右側

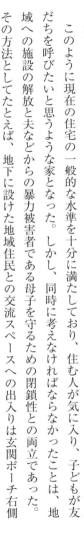

の外階段とし、中側では地下から上の階への出入りを防ぐために、エレベータと階段の手前のドアは施錠型にした。

新しい体験の提供

幼少期に家庭の事情で成長に必要なさまざまな体験ができなかったり、自分の家庭が貧困であると意識したことにより生じる母子の劣等感を払拭するために、さまざまな体験をする機会を提供したいと考えている。体験は多くの不自由さから母親や子どもたちを解放し、喜びや感動をもたらし、エンパワーメントにつながるからである。

おけいこごととしては　茶道、ピアノ、エアロビクス、フラダンス、ヒップホップ、フラワーアレンジメントなどのプログラムを用意している。先に書いたように講師はボランティアにお願いしている。また、51ページで詳しく述べるが、被虐待児自立促進事業を利用して、恒例の夏キャンプ以外に、冬キャンプを実施したこともあった。新幹線や飛行機に乗って現地に出かけ、気球、乗馬、スノーボードなどを体験し、キャンプ場では食事づくり、川遊び、雪遊び、キャンプファイアーなどを楽しむ。そこで大切にしていたもう一つのことは、早朝か夜、静かな雰囲気の中で「この時を味わう」集いであった。雄大な富士山を眺めながら風を感じ、自分の気持ちを感じる。夜ならローソクの灯を見ながら参加者全員で同じ空間を味わう。

このほか、楽しみ会では、ディズニーランドやバスハイク、野菜の収穫をする。また、ひな祭りや七夕など日本の季節ごとの伝統文化とクリスマスにも行事がある。

改まった席への出席も経験してもらいたいと考え、ホテルでの食事会、七五三、職員の結婚披露宴へのおよばれと葬儀への参列といった機会も提供している。東京・銀座で開かれた横尾龍彦画伯の個展に、カサ・デ・サンタマリアのマリア像も展示されたので、母親と子どもたちと出かけ、その帰りにパーラーでお茶をしたり、銀ブラを楽しんだこともある。なお、こうした行事に参加するかしないかは利用者の自由である。

チャレンジを支える――将来の自立に向けての学び

施設で暮らしているときから、施設を退所した後のことを視野に入れて、母親と子どもに対して何ができるかをわたしたちは考えているが、その1つに学びの支援がある。

まず、幼児に対しては、前述したように2歳半からのモンテッソーリ教育を実施している。モンテッソーリ教育は、子どもがその特別な教材に興味を持ち、自分で選び、真剣に作業に取り組むことで集中力をつけるために非常に役立っている。これは被虐待児自立促進事業開始時から継続している。

小学校以上の子どもたちには、学習習慣と学力の向上を目指して少年指導員が個別に支援している。創設当時は、中学生と高校生については夜間警備の大学生に受験勉強を見てもらったこともあるが、２００９年からは個別学習指導専門のＮＰＯの支援を受けるようになって非常に成果が上がり、毎年大学に合格し進学している。

母親に対しては、将来的に自立して暮らせるよう資格取得を目指してみてはどうかと提案し、母親がそうしたいと望む場合には、県立職業訓練学校に入るための試験勉強を職員がフォローしている。

外国籍の母親に対しては日本語を学べるよう、母親の休日を利用して、職員と個別に話す時間を設け、また区役所などで行っている学習会を紹介した。職員自身も「やさしい日本語」で話せるように内外での研修会に参加した。現在は外国人に日本語を教え、困りごとの相談にも対応できる専門家の協力を得ている。

入所から退所後までを見据えた一貫性のある支援

入所母子の生活の安定と子どもの成長は、母子自身の努力と切れ目のない多くの支援によって可能となる。母子生活支援施設における支援は、母子の自立に必要な切れ目のない支援の「はじめ」であり、「入口」である。現在に至るまでの母と子が生きてきた歴史の中でのさまざまな経験から学んだ価値観に基づく生き方が、母子生活支援施設での数年間の経験で豊かなもの、肯定的なものに完全に変化するとは考えられない。母子生活支援施設に入所するまで、どこでどのように生きていたのか。どうして母子世帯になり、どういう経過で母子生活支援施設に入所したのか。それぞれの母子世帯に歴史があり物語がある。それは母子2世代だけの短い歴史だけではない。母子の存在は、子どもの母のまたその母の両親などが、変化する社会の中で生きてきた歴史の流れから生まれた、うたかたのように、または根のない水草のように感じることがある。一般的には、母子生活支援施設に入所する母子は、自分たちを支えてくれる強力なバックを何一つもっていないケースが多い。結婚による夫との愛情に満ちた親密な関係を結べず、離婚はしたけれど、子どもを抱え、お金がなく、仕事もなく、実家（親族）も頼れず、住むところもない。無い無い尽くしであるばかりでなく、多くの場合、ＤＶにより心身の傷を負っている。

入所から退所後に至る支援の流れ

◆第一段階　入り口

この段階の入所者の状況は「危機的状況からの脱出」といえる。居場所もお金も頼れる人もいないどころか、多くのケースは暴力の恐怖におびえ、飢えていた。この危機的状況からの解放である。施設は入所者の危機的状況からの脱出を評価し、あたたかく迎え入れる。家族だけでくつろげる快適な住まいを提供され、その日からの生活と心身の安全を保障される。十分な食事をとり、ゆっくりと眠る。

施設はあらかじめ知らされていた情報と入所前の面接をもとに世帯状況を詳しく知り、キーパーソンを決めておく。また、居室は前もって点検と掃除を行い、破損個所や不具合がないように準備しておく。関係機関と連携し生活に即必要なものは手配してもらっておく。

◆第二段階　インケア

本格的な種々の支援を受けて、直面している困難と束縛から解放され生活を整え、充実した生活を送り、自立への準備を始めていく中心的な段階である。

施設は本人との信頼に基づいた関わりから、本人が直面している困難や生きにくさおよび夢や希望をよく知り、その解決と目的の実現のために一緒に自立支援計画を策定する。そこには安心できる生活環境の維持、癒し、病気や障がいへの加療、親族との関係調整、離婚や親権取得のための環境調整、子育て支援、家事支援、就労支援、金銭管理と貯蓄計画が含まれるようにする。

◆第三段階　出口

退所である。本人は新しい生活設計に不安と期待をもっている。施設は家探しや保証人についてアドバイスし、家探しには同行する。また社会資源について情報を提供する。

◆第四段階　アフターケア

地域社会での安定した自立生活の継続を目指す。施設は実家的な存在となる。退所者のためにプラットフォームを作る（アフターケアについては１４２頁、方の論考を参照）。

25年の支援を振り返る

なおされない壁紙

カサ・デ・サンタマリアの創立から25年経過し、社会は目まぐるしく変化し、その変化に押されて国の制度や政策が変わり、母子生活支援施設のあり方や支援も変化してきた。ここでは25年間の流れを振り返る。

（福）礼拝会が母子寮を作りたいと考えたのは、シェルターに入所する母と子を自立に向けて長いスパンで支援するという夢の実現のためであり、「ミカエラ寮」というシェルターの延長線上での事業として位置づけていた。ケアを中心に考えており、母子寮という社会福祉事業が置かれている現状を十分には理解しているとはいえなかった。母子寮の状況は、第二次世界大戦後の戦争未亡人の屋根対策として急増し、その後何ら改善が加えられなかったために社会福祉事業の中で注目されない施設となり、入所者が減少してその存在が揺らいでいる時代であった。1983年には「母子寮の施設並びに管理運営の改善に関する質問主意書」が全国母子寮協議会から衆議院議長に提出され、母子寮がハード・ソフト両面において国民の一般的水準からかけ離れた状態であることについて政府の見解を求めている。

ミカエラ寮から母子寮に入所する母子の付き添いで、横浜市立の母子寮に行くことがあった。その母子が入所する部屋を見せていただいたときに目にしたのは、大きく剥がれたままになってぶら下がっている壁紙であった。入所後、ミカエラ寮に来所した母子に、入所時のあの壁紙はどうなっていたか聞くと「そのままで、自分がなおした」とのことであった。たかが壁紙一枚のことであるかもしれないが、そこに入る母子がいい加減にあしらわれているように感じた。あの状況で平気で入所させる職員の感覚はどうなっているのか、夫の暴力から逃れるために、一戸建てのしっかりとした家から出て来た母子が「自分たちはここまで落ちたか」とみじめに感じるような住環境に職員は平気でいられるのか、あたたかく迎え入れるために、公務員である職員が掃除や修理をしてはいけないのかなど、怒りにも似た疑問を感じたことを思い出す。

別の最新の公立施設では、地域交流スペースのカーテンが裂けたままぶら下がっていた。今その頃の資料を読み直すと、公立の母子寮を児童福祉施設を持つ民間の社会福祉法人に委託することが求められていたことを知った。

それはそれとして、(福)礼拝会は母子が満足できる母子寮の夢をどのように実現するかに腐心していた。礼拝会は国際的な修道会であるために南ヨーロッパの施設も見ていたが、建物はきれいで設備も整っていた。特に子どもに関する住まいや備品は上質でかわいいものが使われていた。台所にしても日本では調味料等がごちゃごちゃ並んでいるが、すべてが収納できて完全に片付き、掃除しやすく清潔であるように設計されていた。一般の水準を満たすのはもとより、このような生活をする上での質の高さは取り入れたかった。また国内では大都市における学生寮経営の経験に基づくビジョンも持っていた。

1994年の第34回関東ブロック母子寮研究協議会第一分科会「これからの新しい母子寮づくり」において、ミカエラ寮寮長・前田照子により「新しい母子寮づくり――開設までの経緯、新母子寮のイメージ、今後の課題」が発題された。同分科会のもう一つの発題は、しらとり寮施設長の高橋源蔵氏による「しらとり家族支援事業(仮称)構想と事業推進をめぐるいくつかの問題点」で、東京都においては母子寮の住環境の悪さで母子寮への入所が必要でありながら、入所を辞退するケースが多いことや、新しい構想で事業を推進しようとするときの財源の問題について触れられている。

1996年3月開所

1996年2月1日、全職員が初出勤し業務を開始した。職員構成は、施設長1名、母子指導員2名、少年指導員2名、保育士1名、調理員等1名の合計7名で、男女比は女性5名、男性2名であった。職員の前歴はミカエラ寮経験者が3名（ミカエラ寮以前の経験は高齢者施設1名、児童養護施設1名、保育園1名）と新卒者2名で母子寮での経験者は皆無であったが、全員前向きで張り切っていた。

1996年3月1日午前中に開所式を行い、午後ミカエラ寮で7か月待機していた第1番目の入所者である19歳の母と0歳児を迎え、3月中には7ケース20人を受け入れた。この中にはミカエラ寮から他県の母子寮に入所していたが、カサ・デ・サンタマリアの完成で横浜に帰ってきたケースもあった。横浜方式と呼ばれた措置方法で計画的に入所が進み、年度末には10代の母3人、0歳児7人、外国籍3人を含む20世帯72人となった。入所理由は子育て支援9ケース、夫等の暴力からの避難8ケース、生活自立支援3ケースであった。90％が当時処遇困難ケースと呼ばれていた世帯であった。

第1号の母子は暇があれば事務室の周辺に来て、乳児とともに職員の関わりを求め、「今夜は何を食べたらいいでしょうか」と職員に尋ねた。職員はその部屋に行き、一緒に食事を作った。

母親への支援目標は「母親の人間として女性としての生き方を支援することで、安定した親子関係を作り、児童の健全育成を図る」とし、具体的な支援としては、母子に起こってくる問題を丸ごと受け入れ、ともに考え、課題解決に取り組むこと、家事支援、楽しい体験と親睦のためのイベントや行事、母親同士の交流の場である「母の会」、近隣の母子とともに学ぶ「母と子のセミナー」を行った。特に若年の母親の育ちの支援の一つとして母親だけの楽しみ、カラオケ大会（施設に設置）や母子キャンプ時の夜の星観察などを計画し、その間は職員やボランティアが子どもを預かった。このようなときの母親たちの表情は生き生きと楽しんでいるようで、感情をこめて歌ったり、男性職員をやり込めたり、妊娠中にもかかわらず高い所から飛び降りるなどでハラハラさせられた場面もあった。

誕生日、離婚成立日、資格取得日など特別な日には、花束と夕食をプレゼントした。

子どもへの支援目標は、各家庭の養育力を補うこと、基本的な生活習慣と学習習慣を確立することであったので、学習、遊び、イベント、おやつ、職員とのふれ合いを大切にした。おやつは職員の手づくりが基本で、メニューによっては子どもの目の前でつくり提供した。行事は参加自由であったがほぼ全員参加で、特に子どもは学校を休みたくなるほど楽しみにした。行事には母親が楽しめるように食事つきにした。

開所日から宿直を開始し、24時間対応体制を固めた。施設長は隣接の礼拝会修道院に住んでいたが、夜の10時から翌朝6時までは4階の施設長室に控えていた。それは急病人や出産などがあるとき、宿直に当たった男性職員だけでは対応に困ることも予想され、またセクハラなどの誤解を避けるためであった。

開設初年度に2つのショッキングな出来事があった。

1つは母親の新たな妊娠であった。施設の開設について地域住民から反対が起こった理由の

1つに、入所する母親に対する偏見があった。それは「ふしだらな女」という決めつけであった。当時、ある母子寮に入所していた女性が妊娠を理由に退所させられ、ミカエラ寮に入所してくるということがあった。そのとき、ミカエラ寮の施設長が「母子寮の役割は何なのか」と激怒した。わたしも同意見であったが、いざ自分の施設でそれが起こると正直困惑した。この母には軽い障害があり、近隣では目立つ存在であった。相手の男性との話し合いに職員も同席したが徒労に終わった。頼れる人も場所もなかったのでそのまま入所を続け、出産時はわたしが病院に連れて行った。「無事出産」の報で見舞いに行った母子支援員が泣きながら言った。「赤ちゃんがとっても小さかった。あの子はお母さんのお腹の中で遠慮していたのではないか」。

2か月後保育器に入っていた赤ん坊が退院してきた。くだんの母子支援員は「まだ行かないの」とわたしをつついた。赤ん坊のところに行き、「おかえり」と声をかけた瞬間に、しわくちゃの赤ん坊がニッと笑った。すかさず母親が「あっ、初めて笑った」と言った。この子はわたしの心からの承認を待っていたのだと思った。「ごめんなさい！」と心の中で詫びて、それ以降、わたしはこの子に夢中になった。

もう一つの出来事は、1曲のクリスマスソングだけにかすかに反応できる2歳の重度身体障がい児の死亡であった。急変したので病院に向かおうと車を待っている玄関で、息絶えた。

横浜市緊急一時保護事業

1996年9月1日、横浜市が実施主体の「横浜市母子寮緊急一時保護事業（モデル事業）」委託を開始した。この事業は横浜市の特例によるもので、今後、新設または大改築を行う母子寮はそれぞれ3室を設置し、その経費は横浜市が負担するというものであった。それにあわせて母子指導員1名と警備員が配置された。ただし、この事業は横浜市の特例による事業のため横浜市民しか利用できない。現在まで事業は継続しており、２０２１年現在7施設で実施、横浜市内で21世帯の受け入れが可能である。

母子寮から母子生活支援施設へ

１９９７年児童福祉法の改正により、「母子寮」から「母子生活支援施設」に名称が改称された。その目的も「母子の保護」だけでなく「自立の促進のためにその生活を支援する」と改正され、施設の役割には住居提供・就労支援・生活基盤の安定・健康維持・養育援助・親子関係調整・自己肯定感回復・子どもの全面的発達の保障・人生設計が盛り込まれた。あわせて退所後の利用者の方々の生活支援も加えられた。

それにあわせて名称を「母子生活支援施設カサ・デ・サンタマリア」に変更した。これを機に、「一人ひとりに必要なサービスを個別に」をモットーに「一貫性のある支援」を打ち出した。開所より2年が経過し、体験的にわかってきたのは、当然のことながら、各世帯で状況や問題点が異なることや、課題が重複している世帯が多いことであった。職員のレベルアップの必要を痛感し研修に力を入れた。処遇困難事例研修、カウンセリング研修、キャンプによるグループワーク、カトリック研修などを施設内外で行った。実習生受け入れも開始した。

措置から契約へ

２００１年母子生活支援施設は措置制度から契約制度に変わった。母子生活支援施設への入所希望者から相談を受けた区役所が横浜市に申請し、横浜市は各施設の空き状況とそのケースの特性に応じられそうな施設を選んで打診し、施設も了解すると、入所希望者の施設見学および施設との面接が行われて、入所希望者自身が入所するか否かを決定する。入所者は横浜市と契約を結び、横浜市は施設に入所者の保護と生活支援を委託する。母子生活支援施設の利用期限は法律では定められていないが横浜市は初回契約期間を2年とし、その後の更新を認めている。

現在に至るまでの当施設在所平均年数は約2年半である。最長の8年11か月は10代の母と施設が努力を重ねて心身の自立に至ったケースであった。

２００1年より個別支援計画作成を実施した。サービス内容の充実を図り、金銭管理と母親へのカウンセリングを実施した。母子世帯は貧困そのもので、もともと余裕のない生活保護や母親のわずかな稼ぎによる収入は、油断するとすぐに底をついた。お金を計画的に使うことは今の生活を維持し、将来に向けての貯蓄のためにも大切であった。

また保育の充実を目指し、今まで実施してきた施設内保育、補完保育、病児保育、保育園送迎、リフレッシュ保育の他にプレイセラピーを開始した。子どものおけいことしてエアロビクスとピアノ、ヒップホップダンスの稽古をボランティアの協力により始めた。職員の研修としてはスーパーヴィジョンを始めた。

このほか、苦情解決制度を導入したり、広報誌「よりみちぽけっと」を発行した。この名前は小学生からの提案を採用した。

2002年、フィリピンからの入所者が増加していたので、フィリピン体験学習（7月31日～8月10日　日本カトリック修道女連盟主催）に1名が参加した。アメリカ研修（9月21日～10月5日　資生堂社会福祉事業団主催）にも1名が参加した。

2003年、心理療法士の配置実施指定施設に認定された。ボランティアたちの申し出によりその2年前から心理療法を始めていたので、さっそくこの制度を活用した。自立支援計画策定段階で、職員に将来についての計画を書くように言われたことが受け入れられず、この職員を徹底的に無視するようになった母親が心理療法士のカウンセリングを受けて癒されたことは職員全員のよろこびであり、またソーシャルワークについて職員に考えさせることになった。

被虐待児自立促進事業

被虐待児自立促進事業が打ち出されたので応募し、2年間事業費を受けて2つの事業を行った。子どもの育ち、特に両親のＤＶや不和、離婚に至るまでの不安定な環境の中で育った被虐待児への対応は早急にしっかりやらなければならないことであった。そのためには心身ともに楽しんで、解放される必要があると考えていた。特に雪の中で滑ったり、転んだり起き上がったりの体験は自立につながると聞いていたので、是非とも経験させたいと応募した。かなりの費用が受けられたので、春休みに北海道富良野で冬キャンプを実行した。雪の中で遊ぶことはもちろんであるが、雪の降る情景を見、夜の静けさの中で暖まりながら家庭的な一体感を体験してほしかった。そりに乗って高い所から滑り降りたり、スノーボードに乗せてもらって走り回ったり、転んだり、転げまわったりと楽しんだ。雪遊びだけでなく、初めて飛行機や気球に乗る体験をした。これらの体験は子どものエンパワーメントになり、自分の家が貧困であるという劣等感を払拭し、自信を持つ機会となってほしいとわたしたちは願っていた。

この制度は2年間受けることができたので翌年も行った。2年目は冬キャンプとモンテッソーリ教育での申請が通り、モンテッソーリ教育の教材を揃えた。子どもの癒しはできるだけ早く行うべきで、2歳半から実施できるモンテッソーリ教育はうってつけであった。幼稚園を退職したシスターが資格をもっていたのでさっそく始めた。教育的配慮から工夫された専門の教具は高価であるが子どもの興味を引き、それらを使っての作業は自主性を発達させ、集中力を高めた。

モンテッソーリ教育の領域は「実生活」「五感」「数的能力」「言語能力」の発達を目指す。「実生活」では、お箸やハサミの使い方やボタンかけ、水の移し替えなどから始まる。「五感」では、耳を澄ませて音の大きさの順番に教具を並べ、色のグラデーション順に教具を配置することなどがある。2歳児がエプロンをかけ、洗面器の水に浸かったスポンジを両手で握り、指の間を通る水の感触を味わっている様子は感動ものであった。本物の陶器やガラス製品などを使い、乱暴に扱うと壊れたりこぼれたりすることを体験する。保育室では暴れまわっている幼児が、そこでは真剣にその作業に取り組んでいるのをカーテンの隙間からこっそり覗いて感動したものである。

このモンテッソーリでうれしかったことがある。ある子どもが学校の帰りに車で父親に連れ去られたことがあった。調停の席で父親は「子どもを施設なんぞに入れやがって」と母親をなじったという。「わたし言ったんです。あなたは施設、施設と言うけれど、子どもにモンテッソーリをやってくれる施設なんですよ」とおとなしい母親は説明した。後日、父親の弁護士は人を介して「施設のことをよく知らなかったので本当に失礼しました」と謝罪された。

新たな支援内容の提示

２００５年全国母子生活支援施設協議会（全母協）は、施設で生活する母子家庭等の生活と権利擁護の拠点として母子生活支援施設を位置づけ、機能・役割について具体的な支援内容を提示した。

（1）癒しを得ることができる生活環境
（2）相談
・日常的ストレスへの対応
・生活相談（諸サービスの利用、自立に向けての準備）
（3）生活支援と生活に関するスキルの向上支援
・生活スキルの習得
・制度活用のサポート（アドボケイト）
（4）子育て支援と子どもへの支援

養育技術の習得／しつけ／生活習慣／保育／学習指導／遊びの指導／進路相談／被虐待児支援（心理的サポートを含む）／障害児への支援
（5）健康維持のための支援治療のサポート／服薬のサポート
（6）就労支援
（7）危機対応
（8）アフターケア

その中でカサ・デ・サンタマリアが重視したのは、健康維持のための食育とアフターケアであった。

２００４年から夏休み中、近所の食堂と契約して子どもの昼食会を始めていたが、２００６年より夕食提供を開始した。栄養士と調理師の資格を持つ母子支援員のシスターが責任者になり、職員が手伝って安い費用で提供した。この日の夕方は、帰って来た母親と子どもたちが、用意されている食事を事務室の窓口まで取りに来たが、母親が食事づくりから解放され機嫌がよいことで、子どもたちもうれしく、よい雰囲気であった。

その他では、全国社会福祉協議会の保証人制度を活用して、母親のアパート入所のための保証人になった。

職員の研修・母子生活支援施設協議会倫理綱領・退所後支援体制事業

２００６年は、横浜市の国際交流で姉妹都市の米国サンディエゴ訪問研修に職員１人が参加した。また10年以上勤務した職員３人が礼拝会のイタリア、スペインでの先駆的な活動を学ぶ研修を行った。イタリアではミラノの薬物依存者の回復センター、ベルガモでは人身取引被害者の支援活動、スペインでは薬物依存者の回復センターや就労支援のための園芸農場や美容院、母子の施設などを見学し話を聞いた。きれいな食堂で有名なシェフが作った料理を、麻薬で歯が欠けた女性たちと一緒に食べた。母子室もあった。母親の妊娠中の麻薬の影響で、感覚が鈍磨し、泣きも笑いもしない5か月の乳児の頬を職員が叩いたり、絶えず声掛けをして発達を促そうとしている場面も見た。

２００７年、全母協より母子生活支援施設協議会倫理綱領が出された。

この年、退所後支援体制事業の認定を受けた。非常勤職員を採用して退所者との交流、訪問、子どもの学習支援、相談業務から、退所者が社会資源を活用し、退所先の地域住民として安定した生活ができる体制をつくり、見守ることを目指して本格的に事業を展開した。

母親への癒しとリフレッシュを目指してフラダンス同好会を立ち上げた。フラダンスには癒しの効果があり、７人ほどのメンバーが練習し、施設行事で披露して楽しんでいる。

さまざまな事業に向かって

ここから時系列で振り返ってみよう。

■２００７年から２００８年

職員7人がカンボジア体験学習（礼拝会主催）に参加した。礼拝会のＮＰＯ「女性の支援レナセール」が、カンボジアのプノンペンで貧困のために売られる女性の救援のために開設しているシェルターの視察をはじめ、ポルポト政権時代の悲惨な状況や日本の種々のＮＰＯが復興のために行っている活動、そしてアンコールワットなどの文化遺産などを見学し学んだ。カンボジア人でタイの難民収容所で成長し、一度も学校教育を受けたことのない入所中の母親のことを身近に感じ、理解できる研修となった。

■２０１０年

鯉渕記念母子福祉助成研究事業を受けて「外国につながる子どもへの支援」の研究を開始した。２００８年には外国籍在日母子は入所者全体の30パーセントを占めるようになっていたが、開設以来課題であったこれらの母子の自立、特に子どもの将来に向けて母子生活支援施設がどのように支援するかが重要課題であり、そのための研究であった。「外国籍在日母子への入所からアフターケアまで継続可能な支援の試み」としてまとめられていく研究の中で多くのことを学んだ（171ページ、清水石の論考を参照）。

■２０１１年

隣接の公園で、子どもが起こした自転車事故は、外国籍の母には抱えきれない問題であり、母に代わって動くことになった。

■２０１２年

児童への個別学習支援強化のため、ＮＰＯ法人３ＫＥＹＳの個別学習指導を受けることにした。

その結果、以後毎年大学合格者が出るようになった。またこの指導を退所児童も受けられるようにしたので、アフターケアにもなった。

■２０１５年

「横浜市妊娠期支援モデル事業」の依頼を受け、ミカエラ寮で行っているノウハウを伝授してもらい、次年度から本格的に妊婦を受け入れるようになった。特定妊婦の胎児と母を守り、安全な出産とその後の養育を目指すものである。

なつかしいゆりかごであるために

25年という時間は濃厚で、その流れは非常に速く、短かったと感じている。当然のことながら、社会も入所者もカサ・デ・サンタマリアも変化してきた。

最も大きい変化は、入所者の減少により暫定定員が母子生活支援施設の課題となっていることである。

横浜市では、カサ・デ・サンタマリア設立後６施設が新しく建て直され、母子生活支援施設の住環境は格段に良くなった。また25年間には前述のとおり、さまざまなサービスが付加され、職員も増員されている。横浜市においては母子生活支援施設での緊急一時保護事業と妊娠期支援事業も定着してきた。それにもかかわらず、入所者の減少により２０１５年頃から暫定定員問題が浮上し始めた。「空かずのカサデさん」と呼ばれていたカサ・デ・サンタマリアも、他の施設と同様に入所者が激減し、暫定の危機にある。全国の母子生活支援施設を見ると、２２４施設のうち１１１施設が暫定定員であり、11施設が休止中（『令和2年度全国母子生活支援施設協議会便覧』）である。全施設の45・5％の１０２施設のみが定員を保っているという状態である。

カサ・デ・サンタマリアは横浜市内で2番目に古い建物となり、法改正による居室面積の底上げを満たさない部分があり不適格施設となった。

カサ・デ・サンタマリアの母体である女性の緊急一時保護施設ミカエラ寮は、２０２１年3月31日、４９５７人目の利用者を送り出して、35年7か月の活動に幕を閉じた。

閉寮の理由は利用者の減少であるが、そこにシェルターとしての役割の終わりを感じる。ミカエラ寮の利用者数を線グラフで表すと、２００４年を頂点とするほぼ左右対称の山を描く。利用者の減少はミカエラ寮だけでなく、他のシェルターでも同じで、神奈川県内のシェルターは6施設から4施設に減った。今まで、ミカエラ寮などを経由して母子生活支援施設に入所するケースが多かったので、シェルター利用者の減少は母子生活支援施設に影響すると考えられる。

利用者減少の要因の一つは、横浜市の母子福祉施策の充実にある。ミカエラ寮の活動の２本柱であった緊急一時保護と若年妊産婦ケアは、「横浜市母子生活支援施設緊急一時保護事業」「横浜市母子生活支援施設妊娠期支援事業」として制度化され、市内7か所の母子生活支援施設で実施されるようになった。

他の要因は、社会の変化に伴う女性の考え方や生き方の変化である。困窮しても公的機関に相談することは考えられず、また自分の問題を相談すること自体に抵抗があるために自分の環境の中で解決を見つけようとする人が少なくない。妊娠で悩んでいた女性に「横浜市妊娠ＳＯＳ」を教えたのは、いっとき関係を持った男性という例もあった。あるいはスマートホンを活用して解決策を見つけ出そうとする傾向もある。たしかに有益な情報を入手することもできるが、逆に危険なサイトにつながったり、そのときそのときをやり過ごそうとして最悪の事態に陥った人もいる。このような女性たちは、家族との絆が弱く、自分自身も生きていくための手立てを持たず、孤独で不安定な状況にいることが少なくない。

一方、「被害者である自分と子どもがどうして逃げなくてはならないのか」と考えるＤＶ被害女性も増えている。しかし、ＤＶや子どもへの虐待問題の解決、そして母子の自立は簡単なことではなく、総合的で強力な社会的支援が必要である。

このような女性たちと母子生活支援施設との接点はあるのだろうか。接点があるとするなら、それはどこであり、何を媒介とするのか。女性たちはどんな施設を思い描き、どのような支援を求めるのだろうか。

カサ・デ・サンタマリアを創立した時代も利用者の減少が問題であった。その原因は住環境の劣悪さと不十分な支援であった。その２つの原因が払拭された現在における入所者減少の原因は何か。母子生活支援施設のあり方や現状と、現在の母子たちが期待するものとの間に大きな壁があると感じる。母子生活支援施設は抜本的な変革を迫られている。

カサ・デ・サンタマリアは25年間に、６３２ケース１４５１人（本入所１６６件４５０人、緊急一時保護４６６件１００１人）を受け入れ、６１７ケース１４０８人を送り出した。わたしの関心事は、カサ・デ・サンタマリアを利用した人々が、現在どんな希望を持ってどのように生活し、その幸福度はどうかということである。カサ・デ・サンタマリアでの体験は、一人ひとりの人生にどのような影響をもたらしたのだろうか。退所者には3つのグループがある。1つのグループは完全に自立できた人たち、その中には保育士や小学校の先生になり、カサ・デ・サンタマリアの子どもに直接関わってくれているかつての子どももいる。2つ目のグループは、退所後何度も挫折し、当施設をはじめ関係機関の支援を受けながら奮闘している人々で、世代間連鎖のケースも含まれている。第3のグループはまったく音沙汰のない人々である。しかしこのグループの退所者から突然寄付物品が届き、その退所者つながりで何人かの消息がわかることもある。カサ・デ・サンタマリアは大切にされたぬくもりを思い出すなつかしいゆりかごでありたいと願う。

数年前のクリスマスに大きなダンボールを受け取った。送り主は24年前7歳で入所し、3年間カサ・デ・サンタマリアで過ごしたYくんからだった。若い母は外国人で安定できず、自己主張の強い兄と妹に挟まれている小柄でおとなしい少年で、円形脱毛症があった。添えてあったカードにはつぎのように書かれていた。


ご無沙汰しています。Yです。

先日は友人の突然の訪問に、親切に対応して頂きありがとうございました。

すでにご連絡した通り、無事結婚式を挙げることができました。

VTR（当時の写真と職員のメッセージを含む）に映し出された時には、いろいろな感謝を思い出し涙しました。

今の自分がいるのは、小さい頃に複雑な環境の中でも、やさしく包んで育ててくれた皆さんがいたからです。してくれた事はいつまでも記憶に残ります。

本当にありがとうございます。

これからも、私のようにサンタマリアで時間を過ごす子どもたちには、愛や感謝の気持ちを大事に、育ってくれることを祈っています。

お届け物の件ですが、今年のクリスマスプレゼントに、子どもたちへ私の代わりに届けていただけませんか。落ち着いた頃に、家族でご挨拶しに行きます。

これからも子どもにいっぱい愛を注ぐためにも、体も丈夫に元気いっぱいで！

Yより

Yくんのメッセージは、わたしたちに弱々しい少年に備わっていた「成長への種」を発見させ、この種を尊重し、その成長を信じ、必要な環境と条件を整えながら大切に見守るのがわたしたちの使命であり、発芽し成長するのは種自身であることを再確認させてくれた。そしていつの世にあっても欠かせないものは、人から大切にされる経験である。それこそが人生を生き抜くエネルギーになる。肉親であれ他人であれ、目の前にいるこの人を大切にすること、それは不変である。大切にするとき、このひとりに必要なことは何かが見えてくる。

２０１７年施設長はスタートスタッフである職員と交代した。その後の4年間に熟年のベテラン女性職員2人が退職し、３人が母となって育児中である。それを勤務年数20年以上の男性職員３人と子どもから少し手が離れた女性職員たちが支えている。若い単身者は１人になった。

母子生活支援施設の存在が揺さぶられていることは、母子への支援体制が変革を求められていることである。母子生活支援施設は今一つの時代の山を越えようとしている。

そのような現実にあってわたしたちは、25年間の実践に立脚しつつ、「女性と子どもの成長と自立」という課題に係る関係機関と連携し、研究者の専門的な力を借りながら、そして特に母と子どもの意見を聞いて、現状分析を行い、現在と未来への展望から、新しい挑戦に臨んでいきたい。Yくんの励ましのとおり、母と子に「いっぱい愛を注ぐためにも、体も丈夫に元気いっぱいで」進み続けたい。

【参考文献】

1　須藤八千代「緊急一時保護施設ミカエラ寮と婦人・母子問題」『公衆衛生』53（12）、１９８９年。

2　「ドメスティックバイオレンス　トレーニングマニュアル」はアメリカ・カリフォルニア・サンタクララ郡にあるＡＣＩ（Asian Americans for Community Involvement）作成。

3　第34回関東ブロック母子寮研究協議会第一分科会発題「新しい母子寮つくり――開設までの経緯、新母子寮のイメージ、今後の課題」１９９４年、28頁。

column

「祈り」という福祉のかたち

藤木隆男（ふじき　たかお：建築家／藤木隆男建築研究所代表）

遠くランドマークタワーを望む横浜山手の丘の上に、母子生活支援施設「カサ・デ・サンタマリア」があります。そこは改築前、カトリック礼拝会横浜修道院と「サンタマリア・インターナショナルスクール／幼稚園／女子寮」でした。その「礼拝会」は恵まれぬ、あるいは虐げられた若い女性を支援することを会の使命（カリスマ）とし、創始者のスペイン人修道女マリア・ミカエラ以来１５０年以上の世界各地での活動歴を持つ女子修道会です。

しかし日本においても会員の高齢化、会員数の減少に伴い各地の事業所の再編成が検討され、ここ「横浜」は「『社会福祉法人・礼拝会』による母子生活支援施設」を新しい活動目的に選びました。それまでの教育事業を閉鎖し、社会福祉事業のみを発展させることを決定したのです。修道院内で希少な民間シェルターとして始められ、継続してきた若い女性のための福祉支援事業「ミカエラ寮」はニーズが高く、その活動実績を維持発展させつつ、そこでのノウハウ蓄積を評価した市行政の要請もあり、社会福祉法人による新規事業である母子生活支援施設を新しい活動目的に選んだのでした。

カサ・デ・サンタマリア成立の経緯

修道院と法人事業目的の根本的見直し／再構築は、その事業所の物理的環境の大幅な再編成を伴って計画されました。それまでの広い敷地（約5000㎡）の大半を市に譲渡／公園として市民に開放し、老朽化した既存建物に代わる新しい修道院と母子生活支援施設は、残りの高低差のある限られた敷地（約1750㎡）に、周辺の民間の戸建住宅やマンションなどと変わらない建築的スケールや存在感で、目立つことなく地域に溶け込む「外観デザインと施設名ネーミング」でつくられました。また計画当初は、地域住民の強い懸念、設置反対の多くの意見の中でのスタートでした。

カサ・デ・サンタマリア型母子室の考え方

限られた敷地の北東と南西のコーナーに、それぞれ「L字型」のブロックプランをもつ修道院と母子生活支援施設が配置されました。移転改築の全体プログラムの中で、「2～3階建片廊下・勾配屋根のおとなしい家型」の修道院をまず第1期として敷地奥に建設し、修道院移転後母子生活支援施設を手前道路側に配置しています。母子施設は「全室南面／各室2面採光、4階建・フラットルーフ」の都市型共同住宅の一般的な構造です。特筆すべきは両施設の間の中庭奥に修道院付きの小聖堂が「小さなパビリオン」としてプロットされています。それは、早朝の祈りに始まり、食事の後母子生活支援施設やミカエラ寮に散っていき、勤務としてかボランタリーなものかを問わず、連携して母子や女性を支えるなんらかの小さな役割を常に果たし、活動に係わりたいという礼拝会メンバー全員の意識を形象化しています。

母子室は、当時まだ30㎡最低基準整備前でしたが、2DK／36㎡程度の広さ、コンクリート打ち放しの外観を持つごくスタンダードな都市生活空間です。基準階各フロア当たり7室の母子室をクランクして配置し、各母子室の寝室2室を雁行させ、DKとの有機的な接続、小規模なバルコニーによる陽当りとプライバシーを確保しつつ「片廊下・連続バルコニー」の単調な外観を免れています。それは、利用者である母子がより良き居場所を与えられることにより当面する困難さから解放され、まわりから大切にされることにより安心と自信を得、社会への自立を果たすまでのひと時の「母と子のゆりかご」の提供が目論まれたものです。これから周産期の女性の受け入れも始まろうとしています。

各室の玄関まわりは、廊下に対して小さなアルコーブを持ち、しっかりとした鋼製建具でガードされ、室内での家族生活の確保を優先しています。つまり施設建築の町に対する構え方、施設内での各母子室の在り方について、計画当時当該法人（および修道会）では、「DVの脅威からの堅固な防御、プライバシーの完全なる確保」を最優先する考え方が取られました。開設後20年の間、多くの施設見学者の目に触れ、活動実績が重ねられるいま、この在り方の効用、是非については改めて良く研究されるべきかもしれません。

「祈り」という福祉のかたち

中庭にある小聖堂では、修道会のシスター方が日々、絶えず祈りをささげています。必ずしも「カサ・デ・サンタマリア」や「ミカエラ寮」の直接の福祉従事者でないかもしれない方々の貴い無数の祈りが、世の子どもたちや若い女性たちに何らかの目に見えぬ作用を及ぼしている、そこに確かな一つの福祉のかたちが息づいていると思えるのです。

＊『月刊福祉』2016年3月号（社会福祉法人全国社会福祉協議会、2016年2月発行、90頁～93頁）より転載。

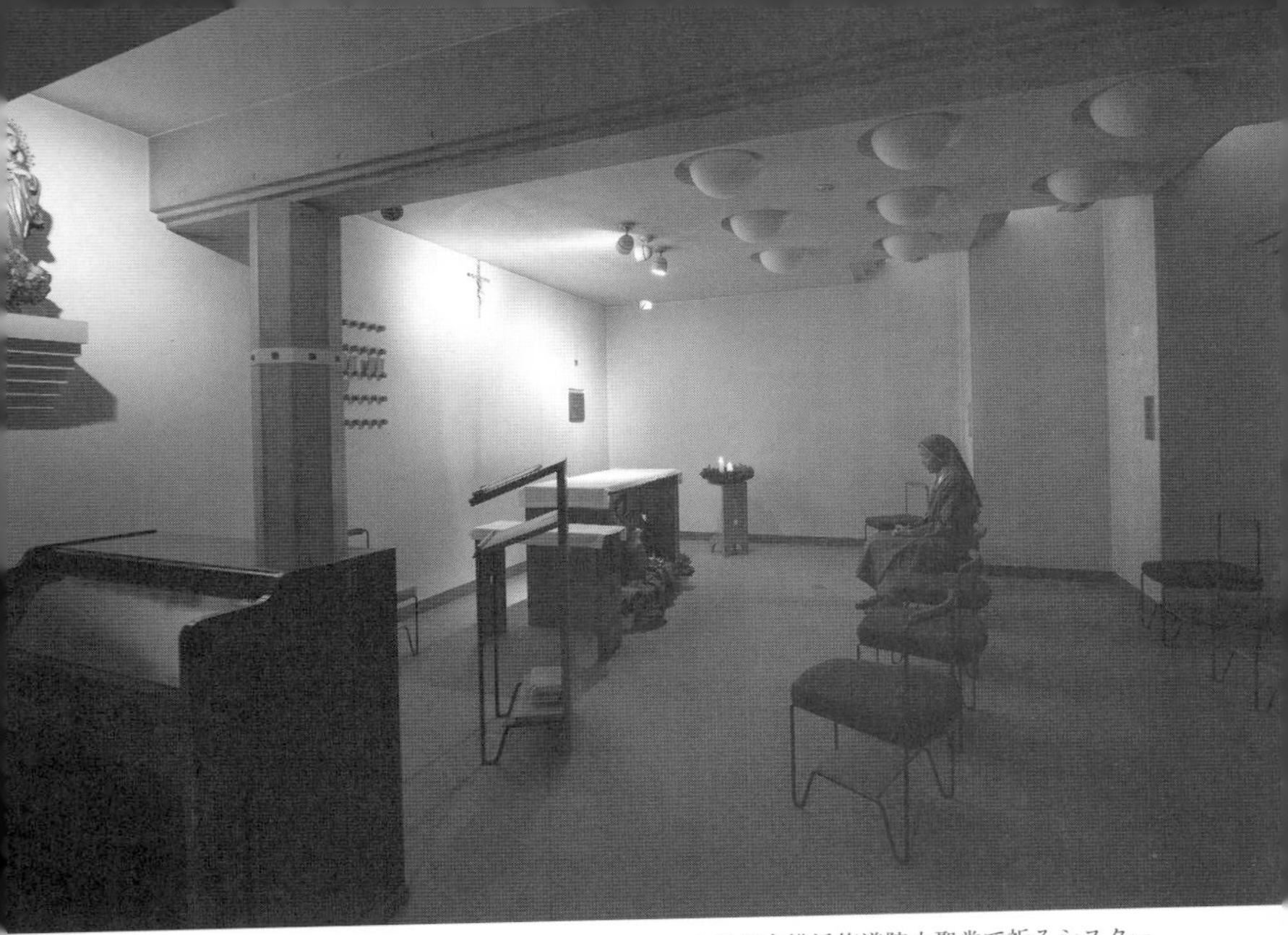

▲礼拝会横浜修道院小聖堂で祈るシスター

▲鋼製建具でプライバシーが守られた母子室玄関周り

写真提供：北田英治

▶２ＤＫタイプの個室。６．５畳のダイニングキッチン、６畳と４．５畳の和室。バルコニーもついている。

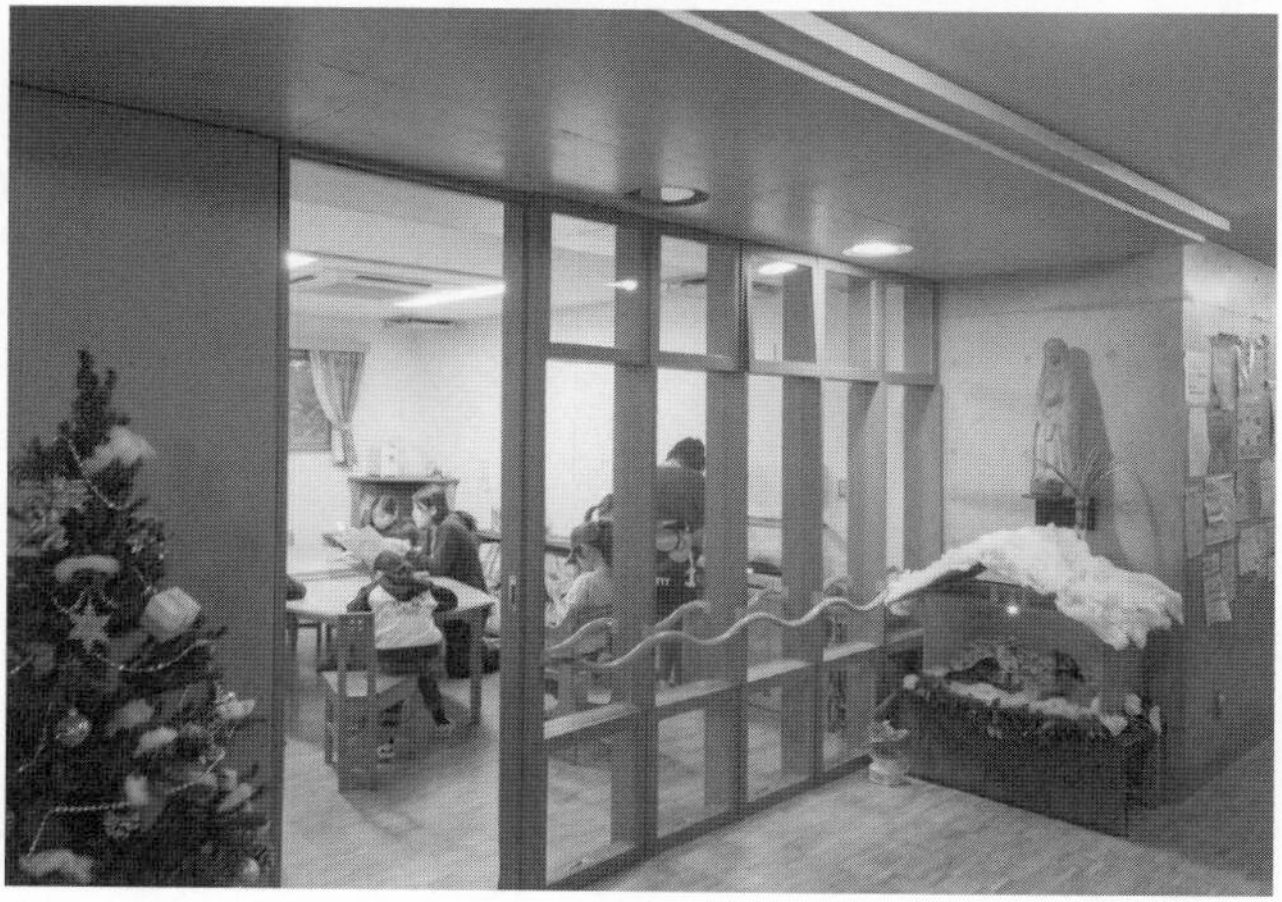

▲子どもたちとスタッフで賑わう夕方の学習室

第Ⅱ部　母と子に寄り添う人々

支援のリアル

2 悩みながらも真摯に向き合う

母子支援という仕事

細木　典子

カサ・デ・サンタマリアが開所したとき、私は36歳。小学校4年の長女、小学校2年の長男、4歳の次男を抱えての就職だった。大学では障がい児教育を学んでいたが、教育の現場よりも保育の現場に興味があって、卒業後は保育士資格を取得して就学前の障がい児通所施設や小さな保育園で仕事をした。子どもが生まれてからは、子育てに専念し、10年ぶりの就職となったのが母子生活支援施設という現場だった。宿直があるということで、小さな子どものいる私は無理だろうとあきらめていたが、周りのさまざまな助けを借りながら、導かれるようにこの施設で働くようになった。その当時はまだ「母子寮」という名称で呼ばれていたこの施設に関して、私はまったくの無知だった。それでもなんとかここまで続けてこられたのは、母と子の関係や、子どもの育ち、何より人が生きていくということそのものに興味があったからだと思う。

言語化の難しい仕事

母子支援員の仕事は多岐にわたっており、説明が難しいのだが、簡単に言ってしまえば、「母子世帯の自立をお手伝いする」ということになるのだろうか。入所から退所まで、その世帯が抱えるさまざまな課題に関して、解決に向けての取り組みをともに行っていく。

具体的には次のような仕事があげられる。

●手続支援……給付金の申請、公営住宅の申し込みなどの書類の記入、各種手続きの補助、外国籍の方には内容を説明、役所への同行など。
●保育支援……子連れでは難しい役所の手続きや、調停、通院などのときのお預かり、母のリフレッシュのためのお預かり、母の体調が悪いときのお預かりなど。
●家事支援……母の体調が悪いときの買い物代行、調理補助、掃除の手伝いなど。
●就労支援……仕事に向けての準備、履歴書作成手伝い、面接の練習、ハローワークへの同行など。
●通院同行……外国籍で日本語に不安のある方、医師の話を一緒に聞く必要がある方（言われたことを覚えていられなかったり、薬の管理が必要な方）の同席受診（本人の了解を得て、あるいは本人の希望で）など。

●行事企画……季節行事やバス旅行、料理教室などの企画運営。
●相談業務……生活するうえでのさまざまな場面で相談を受ける。

その他諸々あるが、先に「説明が難しい」と書いたのは、箇条書きで整理したような言葉だけでは説明できない仕事が多くあるからである。

たとえば離婚調停を進めるにあたって、これまで夫から受けたＤＶに関して本人が文章化しなければいけないときがある。それは本人にとってとてもつらい作業であるわけで、話を聞きながら、そのつらさを「つらかったね」と受け止めるのも大切な仕事の1つになるのだ。それは実績として数字や形に残るものではない。また、宿直の夜、通常業務は22時までで、その後は緊急事態があれば対応することになっている。昼間できなかった書類仕事などを片付けて、日付が変わる頃に宿直室に入ることが多いのだが、その時間になって「話を聞いてほしい」と暗い廊下に幽霊のように立っているお母さんがいたりする。切羽詰まった表情でそのように言われれば、「もう遅いから明日にしよう」とも言えず、話を聞くことになる。退所したお母さんからの電話で愚痴を聞くことも、利用者同士のいざこざに介入することも、日々の仕事だ。子どもの清潔を保てない母親にお風呂の入れ方を実践して見せたり、かわりに子どもをお風呂に入れてあげたりすることも、虫の湧いた部屋の掃除をすることも、事業報告や監査の資料には表れてこない。しかし重要な仕事なのである。目には見えないところで、あるいは形に残らない部分で、母子を支えていく、それこそが母子支援員の仕事なのである。

母子生活支援施設で仕事をしていて感じることは、この世の中には、なんとさまざまな人生があることか、ということ。生まれも育ちも生きてきた環境もそれぞれなのだから、考え方も感じ方も違って当たり前。そう思ってはいるけれど、そんな言葉では語り尽くせない世界がここにはある。しかもその世界は広く、深く、果てしがない。普通に生活していたらなかなか出会えない人生と向かい合う毎日の中で、自分の常識だけが常識ではないことを教えられる。職員も苦しみ、もがきながら母子支援という難しい仕事と格闘している。

そんな中で出会った何組かの母子の姿を通して、母子支援という仕事について考え、日々を振り返り、今後の母子生活支援施設のかたち、あり方を再考する機会としたい。

誰も信じられなかったRさんとの日々

職員は悪魔

不思議な世界観を持つ女性だった。一見清楚で穏やかに見える外見からは想像できない激しいエネルギーを内に秘め、行政や児童相談所だけでなく、生活の場である施設の職員までも敵に回し、常にバリアを張っていないと安心できないとでもいうように、頑《かたく》なに職員との接触を避けていた。彼女にとって職員は「悪魔」であり、むやみに接触してはならない存在だったので、4歳になる子（入所時は2歳）を保育室に預けることはしなかったし、職員が触れることはもちろん、声をかけることさえ許せなかったようである。

Rさんは、妊娠中に居所がなく、ホームレス生活をしていたところを保護された。運送業の父と専業主婦の母、妹の4人家族であったが、中学2年で父親が交通事故で亡くなり、母も精神科に入退院を繰り返していたという。中卒で食品工場に就職し5年間勤務した。その当時外国人の男性と付き合い妊娠。帰国した男性を追って相手の国で結婚するも、邪険にされ、言葉もわからず5か月滞在ののち日本に帰国。20歳で長女を出産している。そこから保護されるまでの生活の詳細は不明だが、頼る人もなく転居を繰り返したと本人は語っていた。その放浪生活の中で、長女は中学1年生で保護され、養護施設で育っている。このときの母子分離のショックが、行政や施設職員に対する不信感につながって、「悪魔」という位置づけができあがったのではないか。そして今回ホームレス状態で保護されたときには、父親のわからない子どもを妊娠していたのである。この大雑把な情報を読んだだけでも、Rさんがどれだけ壮絶な人生を送ってきたのかが想像されるというものだ。精神を病んでしまうほどにさまざまな経験をし、子どもを守るために必死で生きてきたのだろうと思う。

コミュニケーションの難しさ

たいていの利用者は、定期的な面接以外にも、職員と話す機会は多くあり、生活場面面接の形で常にコミュニケーションが取れていたが、彼女の場合はまず接触の機会を作るのが難しかった。ただ、施設にいる以上決められた面接は受けなければいけないという認識はあり、必要な面接であることを説明すると、なんとか時間を作ってくれてもいた。その面接の場で彼女が語ることからわかったことは、彼女には「上の世界」が存在し、そこからの声を頼りに生活を営んでいるということ。彼女はまだレベルを上げるための修行中で、闇の中にいるということ。「上の世界」からの声は絶対だということ。以上の話を聞けば、彼女が何らかの精神疾患を抱えており、幻覚、幻聴に支配されているのであろうと考えるのは当然のことである。

実際、入所前に精神科を受診して「統合失調症」「パーソナリティー障害」の診断を受けてもいる。ただ、生活に支障が出るほどではないので通院の必要はない、との判断だったようだ。いずれにしろ、彼女の生きている世界に私たち職員が近づくことは、とても困難なことだったが、それでもなんとか彼女と心を通わせたいと思い、私は彼女の話を真剣に聞き続けた。彼女が敬愛する美輪明宏や江原啓之の本の話を振ってみたりもした。上の世界からの指示で「外に出られない期間」もあり、そのときにはゴミ出しのお手伝いをした。当時のケースワーカーYさんも彼女となんとかコミュニケーションをとろうと努力されていて、彼女が施設に囚われていると感じている部分に着目し、「Rさん解放作戦の話をしましょう」というような言い方で話し合いを持ったりしていた。そうこうするうちに、「闇は去った」「映像は洪水状態だったが、今は水たまり程度になった。中学時代からの嵐は落ち着いた」「事務室の全員が悪い人ではない」などの発言が聞けたり、ほんの一瞬ではあるが、おだやかな表情を見せるようにもなっていた。

母と子の分離

しかし、「上の世界」から言われることは絶対で、「上からの声」に導かれての外泊が度重なり、ホテルでの生活が長引いたことで、児童相談所、子ども家庭支援課ケースワーカー、施設の話し合いは、退所と子の一時保護の方向で動くことになっていった。子の一時保護については、母が「はいそうですか」と納得するはずがなく、説明はするが、母が納得しない場合は「養育環境がきわめて不適切」という理由で強硬手段に出るのもやむを得ないだろう、ということになった。このままここで支援を続けるのは難しいと私も考えてはいたが、この母子を強制的に分離することに関しては違和感があったし、長女のときにも、分離されたことがRさんの深い傷になっていることを感じていたので、何とか周りとの関係を保ちながらこの親子が生きていくすべはないものか、と頭を悩ませていた。

退所に向かって関係者で話し合う中で、離れて暮らすRさんの長女に協力を仰げないか、との話が出て、子ども家庭支援課のケースワーカーYさん、施設長、私の3人で、長女の暮らすアパートを訪ねたことがある。長女は20代前半で、4歳の男の子とのふたり暮らしだった。母から切り離され児童養護施設で育った長女が、今どんな気持ちで、どんな生活をしているのだろうかと思いながらの訪問であったが、きちんとした受け答えをする清潔感のある女性だった。

ケースワーカーからこれまでの状況や、施設を出なければいけなくなった経緯を説明し、退所面接に立ち会っていただけるか、退所後の生活について協力していただけるかなどを話したように思う。

長女が私たちに話したことはだいたい以下のとおりである。

協力はできるが、面談の場に突然自分が入ることについては、母が「娘は悪に染まった」と思うだけで、何の役にも立たないと思う。母が自分に会いたいというのであれば行く。以前は自分の携帯に、公衆電話から時々連絡が入っていた。電話番号のメモも渡してあるが、今も持っているかどうかはわからない。自分が今の仕事を始めるときに反対され、その後ぱったりと連絡が来なくなった。小学校は毎年転校していた。住居はウィークリーマンション。中学ではテニス部に所属して活動もしていたので、自分の家にお金がないとは思っていなかった。立ち退きを迫られたとき、母は「男の人が迎えに来るから大丈夫」と言っていたが、結局現れることはなく、追い出されて公園で荷物整理をしているところを保護された。施設に入ってからは2週間に1度は面会に来てくれた。施設に入ったことについては特に負の感情はない。今後協力が必要であれば電話をしていただければ対応できる。

さまざまなつらい体験を淡々と受け止めているようすで、誰かを責めたり、悪者にするような発言は一切なかった。母が自分を必要としているのであれば協力を惜しまないが、その気がないのであれば自分からアクションを起こすことはない、と立場をはっきりさせていた。その姿は凛としていて、一見冷たいようにも思えたが、娘としてのぎりぎりの覚悟のようにも感じられ、せつない気持ちでいっぱいになった。その後、関係者で話し合い、長女が言うように「娘は悪に染まった」と思われるようであれば、親子の絆を断ち切ってしまうことにもなりかねないので、面接への同席は依頼しないことになる。Rさんに、娘さんに会いに行ったことは伏せて、娘さんに会いたいかどうか確認したが、「今は自分の中に娘はいない。光の中に見えるのは（今一緒にいる）この子だけ」「今は会うべきときではない」という答えが返ってきた。

退所勧告

最終的に子ども家庭支援課ケースワーカーが退所勧告をしたとき、「外泊が長く続いたこと、Rさんが施設の支援を必要としていないようであることから、今回入所の更新をしないという判断をした」という説明に対し、Rさんは「えっ？　解放してくれるの？　ありがとう」と言った。私には彼女なりの精一杯の強がりにみえた。いつだってつらい現実にそうやってなんでもないふりをして生きてきたのだろう。いつだって「上の世界」が助けてくれると信じ込むことで自分を保ってきたのだろう。

そうして母は退所。予想通り一時保護に同意することはなく、強制的に母子分離となった。分離後、母が錯乱するなどの危機的状況も想定し、児童相談所が警察に協力を求めるなど準備もしていたが、思いのほか母は落ち着いており、部屋をきれいに片づけて去っていった。郵便物をどうしたらいいかとたずねると、「取りに来るから」と言ってくれたので、細々と関係をつなげていけるかも、と期待もした。区役所の生活支援課も生活保護が継続できるように、再三手続きを促していたが、いったんホテルに滞在する、と言って出ていったまま、役所にも施設にも連絡がないまま現在に至っている。子は一時保護のあと、里親のところで生活していると聞く。Rさんが、「上の世界」ではない現実の世界で誰かを信じることができる日が来ることを、私は心の中で願うことしかできない。

退所延期の希望をかなえられなかったＩさんの無念

大学進学

Ｉさん一家の長女Ａさんが大学進学を目指すと決めたとき、私は素直にうれしかった。母子生活支援施設の中で大学進学をする子は限られていたし、特に生活保護を受けながらの大学進学は、親も子もハナからあきらめている雰囲気があったから、Ａさんもおそらく進学をあきらめて就職するのだろうと思っていた。環境要因で進学をあきらめなければならない現実が、貧困の連鎖を生んでいることも感じていたので、Ａさんが進学を選んだことで、家族の未来が変わるかもしれない、と期待もした。Ａさんがまじめに高校生活を送り、福祉の現場で働く職員の姿を見て、自分も福祉を学びたいという想いを抱いたことを真摯に受け止め、本人とも母親とも話し合いを重ねてきた経緯があった。子ども担当の職員と協力しながら、志望校を絞り、学習支援を行ったり、面接の練習をしたりもした。経済的なことが一番心配だったので、使える奨学金や給付金を調べ、申し込みの書類や志望動機の作文の添削なども行った。そうして12月には進学が決定。うれしい春を職員と一緒に迎えるはずだった。

行政と施設現場の温度差

母子生活支援施設の年齢制限は、上の子が18歳になる年の学年末までとなっている。しかし、この世帯の場合、状況から考えてせめてあと1年延長するのが望ましいと施設では考えていたし、母親もまた下の子が小学校卒業までのあと1年間を施設で過ごせればありがたいと言っていた。①母が精神的にも身体的にもまだまだ不安定で、支援が必要と思われる。②次男が特別支援学校高等部2年生で、進路について母の悩みに寄り添い、学校とも連携する必要がある。③長女が大学進学後、生活が落ち着くまで1年ほど様子を見たい。以上3点を理由として挙げて、入所期間の延長を行政に相談した。制度上の特例は20歳までとなっており、新年度には22歳まで特例の年齢が引き上げられるという情報を得ていたので、当然認められるものと思い込んでいた。

ところが、行政側からの返事は「例外は認められません」。18歳で退所という決まりがある以上、そこに向かって支援をするべきで、（12月の）この時点で相談というのは対応が遅すぎる。そもそも経済的に厳しいのがわかっていながら、大学進学という選択をさせる支援が間違っている、とまで言われた。この年、経済的に厳しい環境にある子どもにも勉学の機会を、ということで行政が用意した給付制度も進学を大きく後押ししたのであったが、そのようなありがたい給付制度を案内しておきながら、それを使って進学するAさんに対して、またそれを支援した施設職員に対して「それは甘い」という。

支援員としての段取りが悪かった（もっと早く相談すべきだった？）のであれば、今後改めるべき反省点として、肝に銘じる。だとしても、延長を認めないという判断は、この世帯への支援として正解だったのだろうか。行政と施設現場の温度差を教えられた。納得できない想いを抱きながら、行政の言うことに従うしかなかった自分が情けなく、悲しかった。

Iさん一家は、3月いっぱいでの退所を告げられても文句ひとつ言わず、年が明けると早々にアパート探しを始め、2月には退所していった。

母子生活支援施設は、児童福祉施設ではあるが、子どもを育てる母親を支援することも大きな仕事となっている。いや、むしろ比重としては母親支援が中心といっても過言ではない。母親が元気でいること、笑顔でいることが子どもにとっては何よりで、私たち職員は、子どもの健やかな成長のために、その母親を支えているのである。Iさんの場合、身体的にも精神的にも回復が充分ではなく、仕事にも就けない状態だったが、3人の子どものことについてはいつも真剣に取り組んでいたし、生活面で職員に頼ることもほとんどなかった。一生懸命な生き方を近くで見て来た職員は、退所を1年延長することがこの親子を甘やかすことになるとは露ほども思わなかったし、むしろこの1年の延長こそが、この親子にとって必要だったとさえ感じている。施設の職員は、入所から退所までの期間、一番近くで利用者の様子を見ている。利用者の不利益にならないように、時には代弁者として行政に理解を求めなければならない立場であると思う。それらを、感情的にならず適切な言葉で行政に伝えられるような力を身に付けなければいけないとつくづく思った。同時に、行政側も現状把握のために丁寧な聞き取りを行うなどして、柔軟な対応をしていただけたらありがたい。それが連携するということだと思うのだが。

Mさん本人の思いにそった自立支援

退所先への訪問

この書籍をつくるにあたって、退所して1年ほどが経過したMさんを訪問した。公営住宅の5階までの階段は手すりのペンキもはげて、建物の古さを際立たせている。しかし、一歩部屋に入った途端、そこは別世界で、明るい色のソファやテーブルが整然と配置され、テレビボードの上にはキリスト像（熱心なカトリック信者だった）。その周りに花が飾られ、清潔感とあたたかみにあふれる空間だった。ベランダのハーブや花も手入れが行き届いており、生活が穏やかに営まれている様子がうかがえた。Mさんの表情も声も明るく「これで良かったんだね」と心から思えた。

本人の選択を重視するということ

Mさんの退所については、区との合意がスムーズに行かず、すったもんだがあった。Mさんはベトナム国籍の方で、DVで入所している。離婚は済んでいたが、子ども家庭支援課が元夫の生活圏である地域に戻ることを良しとしないのは当然のことであった。ケースワーカーも生活保護担当も、何かあったらどうするのかというところを、言葉を尽くして説明し、それでも本人が納得しないとなったときには通訳を入れて、説得にあたった。しかし、本人の思いは「自分が一番安心できる場所なのに、なぜダメ？」「急な病気のときに助けてくれるのは同じベトナム人の仲間。役所の人が来てくれるわけではない」「これＤＶ。パパのＤＶは身体が痛かった。区役所のＤＶは心が痛い」というような言葉に現れていた。

担当の私は、ケースワーカーが言われることも充分理解しながらも、本人の切実な思いにも共感しており、ひとりで子どもを育てていく覚悟ができていることも感じていた。日本語での会話がまだ充分ではない彼女が、ひとりで働きながら子どもを育てていくには、言葉の通じる仲間がいる環境がなにより大切で安心だと思ったので、担当としてはそこを支援したいと思った。本人の日々の頑張りを見てきたので、頑固にその公営住宅に引っ越したいという気持ちが、単なるわがままではなく、本人なりに考えた末の選択だということも感じていた。子ども家庭支援課との話し合いを行うたびに悶々としているMさんの気持ちを丁寧に聞き、その想いを受け止めながら、区のケースワーカーにも本人の気持ちを代弁した。

最終的には本人の強い思いが優先され、行政としても「認めることはできないが、力ずくで止めることもできない。自分の責任で動いてください。くれぐれも注意して、危険なことがあったらすぐに役所に知らせてね」と本人に伝えた。本人はしっかり働いていたので生活保護も切り、引越し費用も自分で工面して、立派に退所していった。

支援という名の拘束

今回の訪問で当時の思いを本人に聞いたところ、「役所にもサンタマリアにもお世話になった。

助かった。でも、自分で働いて、お金を稼いで生活したい。お世話になるぶん、あれだめ、これだめ、あるね。自由にやりたかった」と話してくれた。逃げ出した地域に戻ることが認められないというのは「本人の安全を守る」ために大切なことではあるが、ケースによっては認める柔軟性を持たないと、支援という名の「拘束」にもなりえるのだ。このケースでは、行政のケースワーカーも生活保護担当も本人の気持ちや施設職員の意見を丁寧に聞き取ったことで、本人の思いに添った自立の道が開けた。母子生活支援施設における関係機関の連携とは最終的に、母と子が自分たちのやり方で生きていくことをどう支えていくかだと思う。行政のやり方だけを押し付けて「支援に乗らない」と切り捨てていくような結果にならなくてよかった。

施設での生活は1年2か月と短かったが、その期間に母子旅行（ぶどう狩り、鴨川シーワールド）、ディズニーランド、季節の各種行事などに参加できたことがとても楽しかった、と感想を話してくれた。特に自分の誕生日を祝ってもらったこと（夕食のお弁当と花束をプレゼントし、職員が皆でハッピーバースデイの歌を歌う）が涙が出るほどうれしかったとのことだった。日本に来てから夫にも祝ってもらったことがなかったそうだ。

日々、安心して暮らせて幸せだったが、当時4歳の娘が一緒に遊ぶ友達がいないのが心配だったので、小学校に入る前に、地域の友達と遊べるような環境に引っ越したかった、とのことだった。

ひととおり話を聞いた後、「ご飯食べに行こう」と誘われて、近所のベトナム料理店に入った。店主のベトナム人のおばさんとMさんは顔見知りのようで、ベトナム語で何やらやり取りをしていたが、話し終わって店主のおばさんが私に向かって「大変なときにお世話になった人、死ぬまで忘れない、と言ってるよ」と話の内容を教えてくれた。そんなふうに思ってくれるほど、私はMさんのために動けたのだろうか、と恥ずかしく思いながらも、うれしくて心がぽかぽかあたたかくなった。

今後の母子生活支援施設のあり方

自立だけが目標でよいのか

ここに挙げた例だけを見ても、人によって「自立」の意味合いは違ってくる。Rさんの場合、経済的な自立という意味ではまったく可能性が見えなかったし、子育てを含めた生活の安定という意味でも「自立」の困難な母子であった。現在の母子生活支援施設は、自立支援計画を作成し、その計画に基づいて退所に向けた支援をしていくのであるが、その流れに乗らない（乗れない）ケースはあるわけで、だからといってそのような母子を排除していっていいのか、母子生活支援施設として「自立」だけを目標にしていていいのか、さまざまなことを考えさせられた。

たとえば就労して経済的に自立を目指す、というときに、コンビニのパートやホテルの客室掃除、介護の現場を紹介されることが多いが、現実的にこれらの仕事で十分な収入が得られるとはいえず、低収入のまま不安定な生活を続けなければいけないのが現実である。とにかく働いて収入を、というのではなく、長い目で見てその世帯の収入安定を図らなければ、本当の意味での支援にはならないのではないか。職業訓練校に通って資格を取ったり、パソコンのスキルを身につけて就職する母親も中にはいるが、結構ハードルが高く、なかなかその気にならないというのが現状である。まず、職業訓練校に通うには、子どもの保育が必要になってくる。施設の保育室でお預かりする場合ももちろんあるが、保育室は保育園ではないので、充分なスタッフもいなければ、1日中預かるための設備も乏しい。1日に預かれる人数も限られる。母親が気兼ねなく勉強に集中するための環境が、残念ながら今の母子生活支援施設にはないのである。

理想をいえば、施設の中に職業訓練校のような機能を併設して、日常的に学びの機会を提供し、母親がスキルアップして就職できるような仕組みがあればいい。そのためには保育の充実も必須である。母子が生活しながら、必要な人は職業訓練を受け、子どもの保育もできるような複合施設ができないものか。

一方で、一般的にいわれる「自立」を、母子生活支援施設に入所した母子の最終目標にするには無理があるように思う。自ら経済的自立を望む場合は、その人の能力や意欲に合わせて就労支援につなげていくことはできるが、身体的、精神的に就労には程遠いという場合も多く（むしろそのようなケースのほうが多い）、離婚や親権取得という手続きを一つひとつ片づけながら、身体も心も癒して、母子での生活を立て直していくことのほうが先決である。頑張って短期間で経済的に自立できるのであれば、そもそも施設には来ていないのである。

就労にはまだまだ時間がかかる、あるいは就労は難しいという母親には、まずは心身の安定を目標に、穏やかな生活ができる環境を提供することが必要である。両親の不仲、ＤＶ、虐待などさまざまなつらい体験の中で傷ついた心は回復に時間がかかる。自分の体験してきたことでしか物事を考えられない、判断ができない、という縛られた状況から心が解放されて、こんな考え方もある、こんなやり方もある、こんな楽しいことがある、自分にもできるかもしれない、というように目が開かれていくこと。そのことが、その人を「自立」させていく原動力になるのではないか。

もしかしたら母子生活支援施設は、そのきっかけを作ることしかできないのかもしれない。そうだとしても、ここでの出会いや経験が、その人の心の芯のところに何かしら残るものであるように、そしてそれが、できれば陽だまりのようなあたたかな何かであるようにと祈りながら、私たちは母と子に寄り添っている。

外部資源の活用

母子生活支援施設にはＤＶ、虐待、精神疾患、養育不全などさまざまな理由で入所される方々がいる。さらに外国籍で言葉に不自由さを抱えていたり、母親自身が虐待されて育っていたり、親子で精神疾患を抱えていたり、発達障がいがあったりとさまざまな課題が重複して問題が複雑化している場合が多い。職員は生活場面でのさまざまな相談に乗ったり、手続きの同行をしたり、受診の同席をしたりしながら一つひとつ課題を整理していくが、それぞれの分野の専門家ではないので、外部の専門家の協力を必要としている。

母子ともに精神疾患を抱え、かわりばんこに入退院を繰り返していた母と子がいた。母は時々解離を起こし、別人格になったりしていたので、まだまだ支援が必要だと思っていたが、思いがけず公営住宅に当選し、退所することになった。何かあったときに駆け付けられる距離ではないし、どうしたものかと悩み、計画相談支援事業を頼ることにした。精神障がい者に対し、さまざまな方面から必要な支援を行うシステムで訪問看護やヘルパー利用などもできるので、定期的に生活の見守りが可能になる。施設にいるときのような日々の支援はできなくても、これなら何かあったときにつながる場所がある。その安心感が退所していく人達には必要である。

退所までにこのようなさまざまな社会資源を発掘し、必要な人に必要な資源を提供するのも、施設としての大切な仕事であるが、できればこのような外部のサービスを、施設入所中でも使えるようになるとありがたい。入所中からいろいろな人が関わることで、退所後に必要な支援が滞りなく継続できたり、新たに必要な支援についても早期に検討したりできるようになるのではないか。支援が尻切れトンボにならないよう、連携したいものである。

施設の性質上、あまり世間に知られていない母子生活支援施設ではあるが、医療機関（特に精神科）や療育センター、弁護士、学校、保育園などには、この施設の存在をもっとアピールするべきだし、一つのテーブルで議論する機会がもっともっとあっていいと思う。施設としては安全確保ももちろん念頭に置きながら、幅広く専門家に協力してもらえる体制を作るべきだと考える。支援者が元気でおおらかに仕事をするためには、職場内でのコミュニケーションが良質なものでなければならないのは当然のこととして、同時に外部の協力者が不可欠であると思う。

そろそろ本気でスマホ問題の検討を

横浜市の場合は外国籍の入所者も多く、入所面接はもちろんのこと、日常のさまざまなやり取り、学校からのお知らせ、入管の手続きなど通訳を必要とする場面が多くある。英語だけでなく、ベトナム語、韓国語、中国語など多言語に対応しなければならない。入所面接では行政が通訳を依頼する場合もあるが、日常的に派遣してはくれないので、説明に困ることが多い。職員がそこでつまずいているということは、利用者にとってはもっと困った状況になっているということで、言葉が通じないことでのストレスは相当なものだろう。多言語支援センターを利用することもあるが、曜日が限定されていたり、電話では説明が難しかったり、直接行くことが難しかったりと、使い勝手がいいとはいえない。各区で必要な通訳を常駐させ、派遣できるようにするなどの対策を期待したい。

近年は、携帯電話などの通信機器に関して施設の考え方と、行政の見解の違いで困惑することが増えている。ＤＶで避難してきた場合に、母子の安全を守るために外部との連絡を取らないよう行政が通信機器を預かるのであるが、離婚調停に時間がかかったりすると、１年以上携帯電話なしの生活を強いられることになる。入所後、子どもが保育園に通うようになったり、仕事を始めたりという生活の変化の中で、不便を我慢しなければならない。最近は保育園や学校もＬＩＮＥを使っての連絡が多くなり、スマホを利用できないストレスは増すばかりだと思う。実際には「役所からの保育園決定通知が相手方に送られた」「扶養照会に施設の住所が載っていた」などで、場所が知れてしまったことはあったが、スマホなどの使用によって相手方が場所を特定した例は、今のところない。安全を守らないといけないのは当然であるが、新しく契約したものを使う、自分から危険な相手には連絡を取らないなど使い方の工夫で対応できることではないのか。2020年度はコロナ禍の中で、ネットでの研修も増えたが、日本語の勉強をしたい外国籍の利用者が、ネット利用を認められず、講座受講をあきらめたケースがあった。

入所のときの状況と、半年後、1年後の状況は違ってきて当たり前。利用者の気持ちも変化してくるし、取り巻く環境も変わってくる。施設職員は日々利用者と接する中で、その変化を感じ取っているし、何を思い、どこに向かって進もうとしているのかを一番近くで見ているという自負もある。そろそろスマホを持ってもいいのではないか、という職員の意見を「規則だから離婚が成立するまでだめです[*1]」と一言で済ませるのではなく、もう少し丁寧に向き合ってはもらえないだろうか。施設利用者が本当の意味で自分らしく、自立に向けて歩んでいく過程で、柔軟な対応が求められていると思うし、そのためには施設と行政がこまめに情報を共有し、今この人に何が必要なのかを確認しあうことが大切だと思う。施設にいることで人生の選択肢が狭められるようでは本末転倒ではないだろうか。

より良い連携ができて、利用者が母子生活支援施設に来てよかったと心から思えるよう、行政とともに努力したい。

力関係を職員がどれだけ意識できるか

それまで生きてきた世界で虐げられた経験からか、職員に攻撃的な態度でしか関われない母親もいて、職員の心が傷つけられることも少なくない。専門職として頭ではわかっていても、平常心ではいられないこともある。ただ、利用者がそのような態度に出るには、職員側の発信の仕方にも何かしら問題があったと考えられなくもない。問題がなかったとしても支援する側とされる側の立ち位置というのは、動かしがたい力関係が働いているわけで、支援する側はいつもそのことを心のどこかに置いて、謙虚に相手と向かい合わなければいけないのだと思う。こちらとしては何気ないひとことが刃となって、その人の大切にしている部分を傷つけたのかもしれないし、傷口に塩を塗り付けるようなことだったかもしれない。言葉は時として凶器になる。逆に、言葉で人を抱きしめることもできるし、言葉で手を握り励ますこともできる。自分の発する言葉を大切にすること、言葉に魂を込めることを日頃から心がけたいものである。

母子生活支援施設の使命とは

施設の開設から25年の月日が流れ、世の中の仕組みも、利用する家族の様相もだいぶ変わってきたように思う。私自身は8年の月日をこの職場から離れて過ごした。家族の問題もあったが、なにしろこの仕事に疲れていたのだ。自分にはとても務まらない仕事だと思っていた。なので辞めたときには再びここに戻ってくるとは夢にも思わなかったのだが、何かしらご縁があったのだろう。こんな私でもまだできることがあったということなのかもしれない。8年ぶりに戻ったときには、還暦に近い年齢にもなっていたので、肩の力が抜けて気持ちはだいぶ楽になっていた。

サンタマリアから離れている間に東日本大震災があり、被災地支援活動で2年ほど宮城に単身赴任していた。サンタマリアで仕事を続けていたらその経験もできなかったわけで、さまざまな出来事が、私を成長させるために仕組まれていたのではないかとさえ思えてくる。被災地での経験は、その後の私の生き方や仕事への姿勢に少なからず影響を与えた。母子生活支援施設に来る母子に対して、何ができるのだろうとか、どのように課題と向き合っていくべきなのかというようなことを考えながらも、根底のところで「生きていれば、それでいい」「その人の生き方で生きればいい」「生きているだけで充分」と思うようになったのである。そのような気持ちでいると、利用者も不思議と素の顔を見せてくれるようになる。職員の「支援者としてはこうあるべき」という思いが強すぎると、利用者に対しても自分の価値観を押し付けてしまいがちになる。職員は概ね常識的な家庭で育ち大学を卒業し資格を取って仕事に就いた人間がほとんどなので、その目線で語られる言葉が、すんなり利用者の心に届くのだろうか。決して間違ったことは言っていないし、それが正論だったとしても、利用者は、いわゆる「上から目線」を敏感に感じ取り、その結果、それと気づかれないように心を閉ざす。

どんな人生を送ってきたとしても、どんな考えを持っていたとしても、その人を丸ごと受け止め、決して否定せず、これからどうしていきたいのかというその人の思いを真摯に聞きながら、その思いに寄り添っていく。そんな職員の心持ちが伝わったとき、利用者は心を開くのだろう。なかなか難しいことではある。しかしここにたどり着いた母子が、安心して自分をさらけ出し、必要な支援を心置きなく受けることができる環境を私たちは作っていかなければならない。

それにしても悪戦苦闘の日々である。毎日何かしら頭を抱えてしまう出来事があり、対処に悩み、試行錯誤を繰り返し、ひたすら落ち込む。事務室でため息をつきながらも、誰かが笑いに変えて受け止めてくれる。そんな職場であることがありがたい。そして「なんとかなるさ！」と自分に言い聞かせ帰路につく。駅に向かって歩きながらも頭から離れないBさんのこと、C君のこと。途中の神社で手を合わせ（うちはカトリックの施設なのですが……）、どうかサンタマリアのみんなを守ってください、と祈る。祈ることしかできないことが、この世にはなんて多いのだろう。

それでも誰かが誰かを本気で思うとき、そこになにかしらのエネルギーが動くことも長い人生の中で、経験として知っている。悩みながらも真摯に向き合うことで開ける道もある。泣いたり笑ったり、怒ったりしながらも、それぞれのかけがえのない人生を、その人らしく生きられるように、しなやかに寄り添っていければ、と思う。

生きることは、なかなかにしんどいものである。それでも子どもをつれてここに来たことは正解だった、と思ってもらいたい。

【注】

＊1　基本的に行政側の判断が優先されるが、離婚成立後追跡などの危険性がなくなれば、スマホを使うことができるようになった。施設は行政の見解を仰ぎながら、携帯番号変更や位置情報の非開示など、スマホを安全に使えるための手立てをとるようにしている。

3　子どもの支援で大切にしてきたこと

寺田　有市

支援者の役割とは

母子生活支援施設は児童福祉法第38条に定められた施設である。他の福祉法ではなく児童福祉法にある施設ということは子どものための施設である、ということだ。母子が入所する施設だが、法律の主旨でいうと子どもを守るため、その子どもを養育する母を守るために存在すると考えられる。

社会の仕組みの中で子どもたちを育てる役割を担う機関の一つである母子生活支援施設は、さまざまな機能を有する。家庭的な機能、学校や保育所的な機能、シェルター的な機能などたくさんの顔を持つがゆえに「母子生活支援施設ってどんなところ？」と聞かれると、ひとことでは言いあらわすことが難しい。あえて言うなら「生活全般をお手伝いする施設」だろうか。

表1 カサ・デ・サンタマリアの児童入所数の変遷（単位：人）

年	1996	1997	1998	1999	2000	2001	2002	2003	2004	2005
小学生	6	11	10	12	14	14	16	13	12	12
中学生		3	5	6	5	4	3	4	1	1
高校生	1		1	1	1	3	2		1	1
合計	7	14	16	19	20	21	21	17	14	14

年	2006	2007	2008	2009	2010	2011	2012	2013	2014	2015
小学生	12	8	11	12	8	10	12	14	8	9
中学生	2	2	2	5	4	5	3	2	4	3
高校生			1	2	2	1	2	3	1	3
合計	14	10	14	19	14	16	17	19	13	15

年	2016	2017	2018	2019	2020	2021
小学生	10	11	13	7	4	8
中学生	3	4	4	5	4	3
高校生	1	1	3			2
合計	14	16	20	12	8	13

当初、まだ母子寮と呼ばれていたころに施設に求められた役割は「母子の保護」だった。しかし１９９７（平成９）年の児童福祉法改正により、「母子寮」から「母子生活支援施設」へと名称が変更となって、その役割に「自立支援」も加わった。また２０００年には社会福祉基礎構造改革が行われ、一部をのぞいて、行政が対象者を施設に「措置」する制度から、利用者が福祉サービス事業者と「契約」する制度へと大きく転換し、母子生活支援施設も２００１年から契約制度の対象となった。

表１は、当施設の児童数の推移である。２００１年には配偶者暴力防止法が成立、家庭におけるドメスティック・バイオレンス（ＤＶ）の問題が目立つようになってきた。目立つとは、少しずつ増えてきたのではなく社会的認知が広がったことの表れであることは周

知の事実だが、もはや家族間では抱えきれないほど問題が深刻化してきたともいえる。当施設にも配偶者や恋人からのＤＶから逃れるために入所してきた母子が多数いる。

かつて、子どもは親だけでなく、祖父母や親戚、そして家族でもない近所のおじさんやおばさんに見守られながら、叱られながら育った。そんな「昔はよかった」時代から、核家族化や少子高齢化が進んで、子どもを取り巻く環境は変わった。個人の権利、生き方の多様性が進み、ＩＴ技術の進歩で便利な世の中にはなった。が、そんななかで置いてきぼりになるのはいつも子どもたちだという感覚をこの仕事をしてきてずっと抱えてきた。

児童福祉法では子どもの健やかな成長と生活の保障が示されている。子どもは適切に養育されること、その生活を保障されること、愛され、保護されること、その心身の健やかな成長及び発達並びにその自立が図られること、その他の福祉を等しく保障される権利を有するとあるが、それらの当たり前が当たり前ではない子どもがどれほど多いことか。

家庭では抱えきれない問題を、社会が、施設が家庭になりかわり、次世代の大人である子どもを育てなくてはならない時代になってきた。

当施設では０歳から６歳までを乳幼児担当の保育士が、６歳以上を少年指導員が支援の担当をしている。入所している個々の児童に支援計画があり、それに沿って日々の支援にあたっている。各担当職員は専門性を持って支援を行っているが、うまくいくこともあれば、途方に暮れてしまうこともある。何が正しいのか、支援に意味はあったのかなどの評価は別の機会に譲るとし、この章では親や親戚や近所のおじさん、おばさんという役割をカサ・デ・サンタマリアがどのように担ってきたか、事例をもとに振り返っていく。子どもたちの心の声を聞きながら、社会的養護とは何か、子どもの最善の利益をどのように守れるかなどについても触れていきたい。

新しい家に子どもたちを迎え入れる

子どもたちは母子生活支援施設へ突然入所する。親たちの事情で今住んでいる場所からある日いきなり「引っ越すよ」と母親に言われ連れてこられる。子どもたちは父親や親族との暮らしも選べるが、引き受ける側の事情もあり、母親との生活を選ぶ子どもがほとんどである。

子どもは事前に引っ越しをする理由を母親から説明されることもあるが、納得し、転居を自ら選び、入所する子どもが何人いるのか。「とりあえず引っ越してきた。お母さんと離れたくない。前のつらい生活には戻りたくない」など今はとりあえず現実を受け入れるしかない、というのがほとんどであろう。そのような複雑な気持ちを抱え入所面接を迎える。

「こんにちは。どうぞこちらにおかけください」と話しかけると、子どもたちは不安な表情だったり、まったくしゃべらなかったり、とてもはきはき返事をしたりと反応はさまざまだ。

施設に入所するときは面接で生活の課題を確認し、施設から提供できる支援を説明し、最終的に親子に入所の意思を確認して新しい生活が始まる。

入所理由はＤＶからの避難、家賃滞納や借金など経済的な課題整理、親に知的・精神障がいがあり、生活に不安があるなど子どもに直接責任のない親たちの事情、つまり大人の事情である。

そのような状況で「今日からここが新しい家です。ルールをしっかり守って生活してください」と言われても「頼んでないし」「何、勝手に決めてんの?」と何とも言えない表情をする児童も数多くいる。反発できるだけの力がある児童はまだいいが、何も言えない、考えられない、となるとよりきめ細かい支援が必要となる。

そのような支援の始まり、出会いでまず大切なことは受容、傾聴である。いろいろな教科書でも出てくるありきたりの言葉だが、やはりこの言葉につきる。

話を聞き、本人の選択を批判せず、「そうなんだね」と相槌をうつ。「今話したくなければようなづいてみて」と言葉ではない意思表示の提案をしたり、「受験勉強は大切だと思う。勉強で気になることがあれば言ってね」などと職員の考えを伝えるが、反応は期待しない。

返事をしないことも返事ととらえ、今この時間を持てたことの感謝の言葉でしめくくり面接を終了する。相手が怒っていても、悲しんでいても、希望を持っていても、何も考えられなくても、とにかく、どんなときでも「私たちは受け入れている」ということを「ありがとう」という言葉とともに「話を聴く」という具体的な態度で示すことを大切にしている。

また、言葉だけでなく、受け入れている姿勢を示すために住む部屋を清潔に掃除し、面接する部屋をあたためたり、冷たい飲み物を用意したり。玄関を入ってくるときに笑顔とともに元気よく「こんにちは」と挨拶をする。心の中では家族を迎えるような「おかえりなさい」という気持ちを持って……。そこから支援という付き合いが始まる。職員にとっては支援の始まり、利用者にとっては新しい家での生活の始まりなのである。

とにかくまず子どもの話をよく聴く

「おもちゃを持ってこられなかった」「自転車を置いてきた」「ペットを連れてこられなかった」「友達にサヨナラを言えなかった」「友達に、先生に、ペットに会いたい……」。入所後しばらくし、少しずつ人や場所に慣れてくると、子どもたちは時々苦しい思いを吐露することがある。

子どもにしてみれば突然見知らぬ土地に引っ越してきて、安全を守るという施設のルールがある集団生活をしなければならない。望もうと望まざるとも施設にいる以上、生活のルールを守らなければならない。虐待などの恐怖から避難するために施設に入所するなど、明確な理由がある子どもはルールについてある程度理解をするが、今の暮らしを望んでいなかった子どもにとってはとても過酷な状況である。

簡単に「つらいね。わかるよ」と言っても「お前たちに何がわかる！」と厳しい指摘をする子どももいた。「もっと楽しいことを考えようよ」「明日のおやつだけど……」と話をすり替えても「あ、この人ってこの程度ね」と大人に不信感を持つ。何がいいのか？　どんな言葉かけが正解なのか？　答えは難しいし、そもそもないのかもしれない。

しかし、職員としては困っている児童に対応しなくてはならない。そのようなときにきまって思い出す言葉がある。先ほども触れた、福祉施設職員なら誰もが知っている、「受容」「傾聴」である。

つらいときに一緒にいなかったので詳細はわからないが、今の気持ちは現在進行形のもので実際に子どもたちの心に刺さった棘として現実にある。痛い痛いと言っている子どもの棘を抜いてあげたいが、その気持ちを解決するのは本人自身で職員は何もできない、というのが真実であろう。

「そうだったんだ」や「それ、きついね」と言い、話したい内容とタイミングは相手に任せ、次の言葉を待つ。相手に心を合わせようとしつつ、無に近い心境で待つ。そこで相手が「聴いてもらえた」と思ってくれたらいいが、違う反応だったら「もしかして、こういう感じなのかな?」と聞いてみる。

負の感情や不適切な養育を受け歪んだ子どもたちの価値観が、乳幼児の保育をする保育室や日中過ごす学習室で棘として顔を出すときがある。すぐにケンカをする、意地悪をする、いたずらをする、など。そのようなときも緊急性がない場合はまずは子どもの話を聴く。

子どもたちには子どもたちなりの言い分があるのだ。それが嘘と思えることでもまずは「どうした?」と声をかけ話を聴く。子どもたちには彼ら彼女らなりに言いたいことや理由がある。本人がやりたくなくても「つい、調子に乗って」や「もっと面白くしようと思って」など。それらを頭ごなしに説教をしてしまうのは、今までの生活パターンと同じこと（悪いことをしたら問答無用に怒られる。言い訳はしてはいけない。罰を与えられてもしょうがない）になる。

「どうしてそうなった?」や「本当は違うんじゃないの?」などとまずは話を聴く。その後になぜ悪かったのかを自分で考えられるように話をする、といった段階を踏まないと、自己評価が低くなったり他者との信頼関係が結びにくくなる。また、一見悪いこと、問題行動でも、子どもたちの話を聴けば子どもたちなりの視点が理解でき、物事を多角的に見られるようになるなど職員側の成長にもつながる。まさしく子育てと同じように「子どもに支援を教えてもらう」ということになる。周りの大人が話を聴いてくれる、と少しでも子どもたちが感じてくれれば、その子は自信をつけ、活気ある生活を送ることができる可能性が出てくる。

子どもたちは自分で選び、変えることができる

数年前に子どもの話を聴き、事情を理解することが大切だと感じたことがあった。

当時在籍している小学生は10人おり、そのうちの5人が学校に通っていなかった。前の日から声をかけ、朝起きられるような工夫、勉強へのコンプレックスを軽減できるよう日々補習的な学習指導を積み重ね、登校の付き添いを提案したり、学校の面接に同行するなどしたが、子どもたちは学校に行かなかった。

厳しく通学の必要性を伝えても、励まし続けても子どもたちは動かない。次第に起床が9時、10時、11時……と生活リズムはどんどん崩れていく。

どうすれば学校に行けるようになるのか？　何が足りないのか？　と支援者である私は、上から目線でしか子どもを見られなかった。当然そんな私に子どもは心を開かない。

何をやってもだめだと感じ、思い切って朝8時に登校をさせることをあきらめ、朝8時から遊

ぶことを子どもたちに提案した。遠い目標として、登校するということを頭の片隅に置きながらも、まずは生活リズムを立て直すことを直近の目標とし、子どもたちには「今日から学校に行け、とは絶対に言わない。本当は行けた方がいいと思うけど、たぶん、みんなにも事情があるんだと思う。学校に行かなくていいから好き放題してもいいとは思わない。だから、まずは8時に起きることを目標にしないか？」と言うと、「え？　いいの？」「先生に怒られない？」「親になんて言えばいいの？」などいろいろな意見があった。

「職員とやることがある、とでも親には言っといて」と言うと「朝から何すんの？　どうせ勉強でしょ？」とまだまだ警戒をしている子どもたちに「8時集合。そして公園で遊びます！」と言うと「え？　マジで？」「やったー！」と言いながらも「その時間ってみんな登校してるから見られちゃうよ」と。「じゃあ、何時ならいいの？」という問いにみんなで話し合い、9時過ぎなら、ということでさっそく次の日の9時集合に決まった。

次の日の朝、周りの目を気にしながら、静かにジャングルジムを上ったり下りたり、ブランコに乗ったり、公園の丘の上に行ってみたり……。もちろん、「いつになったら学校に行く？」とは、私はひとことも言わなかった。

そんなことを数日繰り返した後、「のど乾いた。アイス買って」とある子が言う。7月の暑い時期で私も暑さに勝てず、「じゃあ、行くか」と駄菓子屋さんへ行くことにした。

帰りに駐車場で子ども5人と私1人の計6人で輪になり無言でアイスを食べた。「やっぱりこれだね」「のんびりっていいなあ」と思い思いを話していると、ある子どもが「ここにいる俺たちってみんな学校行ってなくね?」と言い始めた。

私は「そうだね」とだけ言うと「おまえ、何で行かないの?」と別の子が言う。「俺は……」「私は……」と学校でのイジメ、学力の不安、教師との関係、親への文句、いろいろな不安や不満が噴き出す。最後に私に「ねえ、こんなんしてまで学校って行かないといけないの?」と難しい質問が飛んできて「さて、どう答えようか……」と悩んでいると、さらに会話が続く。

みんなの会話を聴いていると、学校に行かないといけないことは全員理解していることはわかった。

行かないというよりも行けない、と全員が言い出すので「君たちはそれぞれの理由があるのはわかった。行きたいけど行けない、という気持ちもわかった。ただ、できれば行けた方がいいよね?　一人で悩んでないで一緒に学校に行けないことへの作戦を立てようよ。作戦だから失敗はつきもの。ここにいるみんなは同じつらさをわかり合える仲間だから作戦が成功しても失敗してもみんなでみんなを応援しよう」と言うと、「それ、いいんじゃない?」「やってみよう!」と騒ぎ出す。

その中で2年生の児童が「作戦が失敗してやっぱり学校行けなかったらどうなるの……」と小さい声で言うので「そのときは……また、アイスだな。そしてこのチームでまた会議」と私が言うと「そっか。じゃあやる!」。アイスに惹かれたのか理由は定かではないが、私とそれぞれが個別に作戦会議をすることになった。

その後、2人が登校再開、1人が数日登校、2人が変わらず。画期的な変化はなかったが、子どもの話を聴くとその解決方法は子どもたちが考え出していた。学校に行けない2人は行かないながらも、施設内の学習参加や自分の趣味特技を増やすなど生活の変化はあった。

結果を求め、道筋を作り、提案をすることが状況の変化を生むこともあるかもしれないが、子どもは自分で選ぶ、変える、作り出すことができることを教えてもらい、事情を聴くことの大切さを学んだエピソードである。

学習が先か、心の回復が先か

当時は、私は「勉強よりもまずは心を立て直す」ことを大切にしていた。学習、外部のコミュニティへの参加、将来の計画などを考える前に、まずは施設での暮らしの目的を子どもと最初に確認した。その後「ここは安全な場所なんだ。この人と話したら安心。自分はここにいていいんだ」と思ってもらえるような環境作りに移行する。

信頼できる大人との関係を時間をかけて丁寧に構築し、多少のトラブルがあっても揺れることがない自分を作り上げることが先決だと考えていた。「何がしたい？」と聞かれ「自分は……がしたい」「私は……と思う」と話ができるようになったら、勉強でも、登校でも、友達ともやっていけるきっかけができると思っていた。

はたから見れば「毎日遊んでいる」「いつも楽しそうにしているけど、何で学校に行かないの？」という状態で、周りの評価がうっすらと担当である私に伝わってくる。どのような意図でそうしているのか、それはすべて明日のためのステップであるという説明が足りず、他職員が支援方針に納得し、共通理解とすることができなかった。今思えば反省点がいくつか浮かんでくる。

ある日、ついに上司に言われた。「毎日遊んでばっかりいて何してるの！」と。私は「この子たちにはまず心の回復が必要です。そのためには子どもらしくいられることが大切なんです。だからまずは遊びを通してのびのび過ごし、子どもの心を取り戻しているんです！」と熱く語ったが、「そんな時間があったら学校に行かせなさい！　そういうことは学校でするもの！」だと言われてしまった。

「学校に行けないから施設でやっているんです」と答えると「学校に行かないなら勉強させなさい！　遊んでばかりいて何やってるの？」とさらに厳しく指摘された。そのときは個々の児童の様子を把握し、関係機関と連携し、施設内の支援方針の共通理解を進めることなど、アセスメントやチームケアなどに必要なことを言葉にできず、ただ「はい、勉強させていただきます……」と返答せざるをえなかった。その後、子どもたちを学習室へ集めて補習を開始した。だが、学校に行かない子どもたちは施設内学習をする「学習室」にも来なくなった。

学習が先か、心の回復が先か。今思うと答えは両方だろう。登校再開を焦ってはいけないが、段階的に何らかのコミュニティに属し、社会性の回復を念頭に置いたバランス良い支援が大切なのだろう。

今の時代は不登校に関してきめ細かい支援がある。学校にはスクールカウンセラーやスクールソーシャルワーカーが配置され、「登校しない児童には厳しく対応。学校に来ないのはやる気の問題」と言う大人はかなり減ってきた。

状況によっては児童精神科（小児精神科）など医療との連携もある。つまり、施設の職員が「熱意」と「スキル」両方を存分に発揮できる環境が整ったのだ。子どもからみても、周りの大人が誘導するのではなく本人が選べる時代になりつつあるといえる。20年前とはいろいろなことが変わってきているが、しかしいまだに学校に行かない児童は施設に数名在籍しているので「いつか、本人が外へ歩けるようになる支援」は今も必要である。

遠足に行きたい、けれど母が……

施設では小学生の行事は、季節、文化、教育など必要に応じて、年間を通しさまざまなものが企画される。ある年の3月に市内の防災センターへの見学遠足が企画された。目的は自分でも身を守れるように防災について勉強することである。

子どもたちの話し合い（当施設では子ども会という）の場で日時、目的が職員から説明される。子どもたちは「やったー、お出かけだ！」「おやつ持っていっていい？」「帰りは公園で遊んでいこうよ」など遠足と聞いてみな大興奮。念のため繰り返すが防災の勉強であって遊びの遠足ではない。しかし子どもたちは遠足＝お出かけであって、楽しみでしかないのである。

まあ、楽しく1日過ごして、その中に少しでもひっかかるものがあればいいかな、と苦笑いをしながら子どもたちの笑顔を見ていたが、その中で一人浮かない顔の児童がいた。話し合いが終わった後にその児童に声をかけると「私、行かない」と暗い顔。お祭り騒ぎをしている他児が多いため、場所を変え「どうした？」と聞くと「お母さんがだめって言うと思う」と答えた。「じゃあ、職員さんからお母さんに話をしようか？」と言うと「やめて、怒られる」と拒絶する。「みんなのお母さんたちには行事の説明をするからあなたのお母さんにも話はするよ。ただ、子どもが行きたがっているから行かせてほしい、とは言わない。他のお母さんと同じ言い方をするから」と言うが、それでも「やめて」の一点張りである。「行きたくない？」と聞くと「そりゃ、行きたいよ。でも」と言うので「じゃあ、お母さんの話を隣で聞いてな。悪いようには言わないから」と言うと、やっと面接には渋々同意した。

その母親は入所面接で施設で何をしたいか？　と問われたときに「人間らしい生活がしたい」と言っていた。生活リズムは崩れ、親として子どもにやらなければならないことはわかっているができない。また、子への愛情がないわけではない。ただ、親自身の精神的不調により、登校や子育てが立ち行かなくなり、施設入所となった世帯である。

行事の概要を説明しお弁当が持参であることがわかると、その母親は途端に表情を曇らせた。「参加させるか考えます」といったん面接が終了。子どもは母が「参加はだめ！」と断らなかったことに安堵したのか「外で遊んでくる！」と退室した。母親に「何か困ったことはありますか？」と聞くと「お弁当が用意できない。だから休ませる」と職員にきまずそうに答えた。

うつの様子もあったので「お弁当は作らなくてもいい。用意すればいい。難しければコンビニの弁当を弁当箱に移し変えるだけでもいい」と話すと「買いに行けない」と言う。

遠足の弁当は母親の愛情が試される大事な瞬間である。子どももそれはわかっていて大体がお昼の時間は弁当チェックを互いにする。自分の母親自慢から、自分への愛情の再確認。親にとってはとても恐ろしい、子どもにとってはドキドキの楽しみな時間である。「今年最後の行事だからぜひ、行かせてほしい。弁当は何でもいいから用意して。何なら買ったパンをバンダナで包むだけでもいいから。用意してくれた、ということが子どもにとっては元気になるから」と説得した。

お弁当をめぐってひと芝居

遠足当日。「あの子は来れるかな……」と心配していたら集合時間に笑顔でその子はやってきた。みんなも「来れて良かったね」「後で遊ぼうね」と口々に声をかけた。結局、一人も欠くことなく全員で出発できた。

道中に「今日は楽しもうね」と声をかけると「お弁当一緒に食べない？」と小さい声で言う。状況がわからず「ああ、いいよ。一緒に食べよう」と答え、現地へ出発した。

センターでは他のお客さんに迷惑をかけるぐらいみんな元気に楽しんでいた。いつもどおりの子どもたち。その子も普段どおり友だちとおしゃべりしていた。「心配することなかったな」とほっとしながら昼食の時間が始まった。

「じゃあ、お昼ご飯にするからみんな座って」と声をかけると、その子は友だちと座ることなくすっと私の側に来て小さい声で「一緒に食べよう……」と言ってくる。みんなにわからないように小さい声で「いいよ」と答えるが、まだ不安な表情をしていた。

みんな、机の上にきれいに包まれたお弁当を自慢げに出し、お弁当内覧会開始。その子もきれいなバンダナの包みをそっと机の上に出す。静かに開けると包みの中は「半額50パーセント引き」とシールがデカデカと張られた菓子パンが2つ。

他の子は色とりどりのおかず、ご飯にふりかけで絵がかかれていたり、豪華フルーツ付など。本日限り半額セールのパンを見ながら「これだから嫌なんだよ」とその子は一度机の上に出したお弁当をさっと隠そうとする。

当日の私の弁当はご飯とおかずを別の入れ物に入れた弁当で、ふつうの大人の弁当に比べると、かなりおかずは多めだった（一応、トラブルがあったときのために少し多めに持ってきた）。

「見て、この量。こんなに食べれないよ。これ以上太りたくないから手伝ってほしい」とその子に言うと「いいよ。手伝ってあげる」と言うので、私の席の前にはご飯、となりに座ったその子の席の前に大人でも無理だろうと思われる大きなおかずをそっとずらして置く。

その様子に誰も気づかず、その子の弁当はものすごく大きな入れ物に入ったおかずとパンとなり、なんとかお弁当としての体裁は整った。

大きな声で「いただきます！」と食事が開始されるとさっそく品評会が始まった。交換をしながら「いいなあ」「これ、おいしい」などと大盛り上がり。

ある児童がすかさずその児童に「お前の弁当すげえな。これと取り替えて」と言われ、じとっと目で私に訴える児童。「ちゃんと取り替えるんだよ。多すぎはずるいからね。肉でもあげたら?」と言うと、小さい声で「いいの?」と聞いてくる。

さらに私が小さい声で「悪いけど、それ、全部食べて。今日はお腹いっぱいで食べれない。よろしくね」と言うと、隣の児童に「これ、あげる!」とおかずを差し出した。一人ひとりの弁当チェックで歩き回る「監視官」の児童も「おまえのおかず、すげえな!」とさっそく見つける。

その子は自分のものではないので、何とも言えぬ表情で「うん、まあね」と答える。私はすかさず、小声で「あげるって言ったんだからそれは君のもの。交換したければ勝手にどうぞ。どうしても食べ切れなかったら残していいからね」と伝えるとふっきれたのか、「これ、おいしいよ。でも、これはちょっとおいしくない」とさらに別な子どもと交換した(まずくて悪かったな! と思いながら、みんなのいつもの大騒ぎを見ていた。その子も大騒ぎ。私は黙ってご飯のみ……)。

今考えるともっといいやり方があったかもしれない。全員の弁当を用意するとか、弁当を買っておいてあげるとか。しかし、出来合いの弁当ではちょっと寂しい。その子が大人になったときに「弁当を作るの面倒だから遠足に行かせない」と言ってほしくないし、親以外にもほんの少し優しくしてくれる人もいるんだな、と何となく思ってくれれば、その子は世の中を悲観せずにいられるかな、といろいろなことを考えながら帰路についた。

施設に戻った後に様子を母親に伝えた。「とても楽しんでいたみたいだよ」と伝えると「ありがとう。帰ってからずっとしゃべりっぱなしだった」と母親も笑顔だった。「お弁当、用意してくれたんだね」と母親に言うと「あれが精一杯だった。食べていた?」と聞かれ「食べていたよ。お腹いっぱいになったんじゃないかな」と言うと「行かせてよかった」と泣いていた。

子どもはみんな、大人に近づいている。心も体もひとりの人間として生活できるように毎日生きている。その道が険しかったり、途中で切れそうになっている児童は今も多い。子どもの力で乗り越えられない高さがあるのであれば、ときにはそっと子どもを引き上げることも必要である。今日はちょっとさぼって冷凍食品やコンビニ弁当を買って済ませるなどはふつうの家庭ではよくあることだが、この母親は用意ができないので行事に参加させない、ということを繰り返していた。また、同じような理由で学校を長期休ませていた。

支援の幅は登校に留まらず、学校へ行く準備、食事、起床、入浴など多岐に及ぶ。このケースのように親自身が家事を行う気力や体力がないときは、子どものために社会的養護を担う施設の職員が子どもの気持ちに気づき、さまざまな経験ができるよう手伝う必要がある。

心の距離

ある日、トイレの手洗い場から水があふれて床が水浸しになったことがあった。対応した職員は「何があったのか？」「誰がやったのか？」とわからず子どもたちに聞いたが、子どもたちは「知らない」「わからない」と話をごまかす。

この手のいたずらは子どもたちを呼び注意を促す、親たちにも状況を伝え家庭でも話をしてもらう、という対応が当施設では一般的である。少し離れたところから様子を観察していると、職員は子どもたちにどのように注意しようか右往左往していた。子どもはそんな大人の姿を見てうまくごまかしていた。

子どもたちは何を感じ、どのように考えているかを周りの大人は理解していない。上辺だけの言葉の対応が続くと、子どもたちは職員との対応から要領よく立ち振る舞うことを覚え、さらに子どもは物事の善悪の価値観が曖昧《あいまい》になる。「それでいいのか？　子どもたちは逃げているんじゃなく、追いかけてほしいんじゃないか？」と直感的に思い、子どもと真剣に向き合う時間が始まった。

私は「誰も知らない」で通す子どもたちに「嘘をついてばれなければ何とかなる」ことを許さない、と繰り返し伝えた。しかし、子どもたちは「知らない」を繰り返す。しばらく押し問答が続き、こう着状態が長引き沈黙になると「やっと長い話が終わる」と他人事のようにしている子どもたちに、「次は親と一緒に面接をする。たかがいたずらで済まされるとは思わないでほしい」と伝え一度は解散した。「え？　まだ続くの？」と困惑した表情をする子どもが多かった。

続いて親子と職員と面接が始まる。「ばれなければいい」「私には関係ない」とのらりくらりとかわす子どもに、今まで見つけた話のピースを説明すると子どもたちも少しずつ状況の説明を始めてさらなる全貌が見えてくる。高学年がいたずらをし、他の子も加わり、水が溢れ出して逃げ出したようだ。

学習室にいた他の子どもも知っていたが、「私はやってないから、私には関係ない」と思っていたという。

悪いことはしてはいけない。やってしまった後は謝罪し反省する。そしてまた、明日から新しい1日が始まる。子どもの世界では当たり前のことが、学習室ではそれが当たり前ではなかった。嘘を見抜けない職員、うまくふるまう子どもたち。話をしているようで互いの距離が遠く、心の会話ができていない。ただでさえ人間関係の希薄さが危ぶまれている昨今、「関係ない」が拍車をかける。大人は子どもを見ている。良いも悪いも知っている。それは監視しているのではなく、見守っているということだ。うれしいときに一緒に笑ってくれ、困ったときに助けてくれる、いつも自分を応援してくれる存在。そんな人が自分にはいるんだ、と感じてもらえるよう必死に職員も子どもに向き合う。

「誰がいたずらをしたのか?」と怒っているのではなく、それをごまかそうとしたり、見て見ぬ振りをする周りの人間が許せない、と必死に語りかけると、そのうち「ごめんなさい……」と言い出した。少しずつ思いが通じ始めた。

1人ずつ面接をしたのだが、結局最後には全員ごめんなさいと言うことができた。話の最後には「もう許す。でも、繰り返しちゃいけない。明日から楽しく遊ぶためには今日のことはちゃんと覚えていてほしい」という締めの言葉で面接を終了とした。

面接の後に親たちに話を聞くと「うちの子がこんなことをするとは思わなかった」「今の学童はこんな感じなんだね」「子どもの話を聞けてなくて恥ずかしい」といろいろな感想をもらしていた。

うまい言い回し、正しい対応の仕方ばかり考えていると本質を見失う。大切なのは目の前の子どもが何を考え、何に悩み、どんな工夫をしているのか、知ろうとすること。そこに理論や価値観を当てはめ、「あの子ってこうだよね」と分析ばかりしようとすると、子どもが何を考えているのかわからなくなる。大人として、職員として向き合い、理解しようとする努力があると子どもたちは自然と寄ってくる。「ねえ、遊ぼう」とまたいたずらっぽい笑顔とともに。

子どもを支えるということ

冒頭にも書いたように、母子生活支援施設は１９９７年の児童福祉法改正により、保護するとともに自立に向けた生活を支援する施設となった。

生活には人が生きるための多岐にわたる要素がある。寒暖の差を考えて快適に過ごせる衣服を用意すること、成長に必要な栄養を取ること、疲れた体を癒せるようあたたかいお風呂を用意すること、良質な睡眠を取ることのできる寝具を用意するなど、子どもが生きるために必要な衣食住すべてに関わる準備が必要となる。

それらは監護権のある保護者が子どもを育てる責任を全うするためのものであるが、親に心身の課題がある場合は、福祉的な視点から子どもを養育する親を施設などが支える必要がある。子どもを育てる施設であり子どもを育てる親を支援する当施設は、社会的養護を考えるうえでその役割は重要である。子育ての環境の１つとして母子生活支援施設をとらえるなら、本来親が果たす機能の一助となるべくして存在するのが当施設なのである。

子どもは「小人」で「大人」になる通過点である。よく遊びよく食べて体が大きくなり、多くの経験から心が育ち、小さな命が少しずつ大きくなり、大きな人、つまり大人となっていく。

成長の速度は人それぞれで、歩み方に正解はない。人生の歩みにおいて環境により早足にもなるし、立ち止まることもある。歩くのを戸惑っている子どもがいるとしたら前に進めない理由を聞き、解決策を共に考えること、つまり生活を支援するのが母子生活支援施設の職員の仕事なのだ。

施設のあり方が措置から契約の時代になり、指導から支援に変わった。個人が尊重され所属するコミュニティが多様化すると、どうしてもその輪に入れない子どもが出てくる。家族で暮らし生活する道から違う歩み方を選ばなくてはならない入所児童には、より人間らしいあたたかい言葉と見守りが必要となる。支援者には専門の資格や経験が求められるが、最も大切なのは向き合い方であり、人間性である。経験を重ねると分析がうまくなり、言葉が多くなり、話をしていて「うまい対応」を求められている錯覚に陥る。

子は親の鑑、というが、子は職員の対応の鑑でもある。気難しい子、学校に行かない子、不安な子、いわゆる困った子がいるとしたら、考えるべきは本当に困っている人間は誰か？　ということだ。学校に行かせる、友だちと仲良くさせる、悪いことをさせない、と焦っているのは周りの大人かもしれない。

子どもには知恵や経験がたくさんある。何かを変える力も持っている。それを信じ、なるべく口やかましく言わず、子どもが子どもでいられる環境さえ作れば、あとは自分たちで育っていく。

本人のやる気が発揮できる場を提供すると子どもたちは目を輝かせ、毎日が生き生きとしてくる。子どもたちが子どもらしい笑顔でいられる環境を作ることが一番の支援かもしれない。子どもが子どもらしくいられる場所が母子生活支援施設でありたい。ただ、できれば、いたずらはたまに、にしてほしい。

4 その人が答えを持っている

私を変えたある母との出会い

篠原　恵一

地元に近い大学の社会福祉学科を卒業した私は、24歳で神奈川の児童養護施設に就職した。4年間そこで働き退職したあとは、アルバイトでＹＭＣＡの「リーダー」として子どもに関わったが、間もなくカサ・デ・サンタマリアのオープニングスタッフとして採用されて現在に至っている。ただ同じ児童福祉系であること以外、特に母子生活支援施設に関心を持っていたわけではない。ともかく福祉関係で常勤の仕事に就こうと思っていたが、内心はぐらついていた。

今の施設で「母子指導員（現・母子支援員）」になったのは、カサ・デ・サンタマリア開設の１９９６年のことである。当時は男性が母子指導員となることはご法度だったのか、ある施設長に「なんであなたが母子指導員をやってるの」と叱られた。

また児童養護施設では相手が子どもであり、先輩に「子どもにぐいぐい入っていけ」「子ども相手に引いていてはダメ」「全身全霊でぶつかっていけば何とかなる」「叱ることも愛情だ」などと言われてきたため、ここでも同じスタイルでそのままやろうとしていた。

そのために支援者ではなく指導者になって「なんでこんなことをやらかすの？」「何を言っても無駄だ。関わる意味がない」など、感情的になってしまう自分に嫌気がさすこともしばしばだった。自分のなかにある「こうあるべき」という規範に反していると、許せない気持ちになってしまうのだ。「自分の課題」と「他人の課題」をゴチャ混ぜにしてしまい、結果としてどうにもならなかったことで、さらにストレスを感じ、そして失望し、無力感に苛まれていたのだと、今ならわかる。自分が他人を変えることはできるはずがないのに、その頃はなぜか自分の思い通りになると勘違いをしていたのである。「他人もこう思うはずだ」と自分の価値観を相手にあてはめていた。その結果「自分は福祉の仕事は向いてない」とか「忍耐が足りない」と、自己嫌悪に陥る日々だった。

そのあと、あるきっかけでアドラー心理学に触れて、その人を変えることができるのはその人自身だと気づくようになった。

この章では、自分を変えることができるのは自分しかいない、なにか課題を抱えたとき、その答えを持っているのはその人自身であるということを学んだAさんとBちゃん母子の事例を書いておきたい。施設全体で取り組んだ困難事例であったが、私を成長させた人である。

「早く人間になりたい」Aさんとの出会いと別れ

AさんとBちゃん母子はドメスティック・バイオレンス（DV）から逃れ、市外のシェルターを経て、当施設近くのアパートに転居し、生活保護を受けて暮らしていた。しかし間もなくAさんがBちゃんに対して充分な食事を与えず、衣類や身体などが汚れたままであったり、保育園に入園しても、Aさんが引きこもり状態で通園してこないなど生活課題が表面化するようになったという。

Bちゃんが小学校1年のとき、担当の民生委員が「子どもの姿は見えないが子どもの泣き声がする」と通報し、福祉事務所のケースワーカー、保健師、児童相談所が訪問することになった。だがAさんはドアを開けなかった。そこで警察が介入して部屋を開け、Bちゃんを児童相談所に一時保護した。ただそのときは学校に通わせる約束で一時保護が解除となった。しかし結局、その後またふたりはひきこもり状態となった。このような状況のなか、関係者がAさんに関わり続け、最後には「今のままでは、子どものためにならない、自分自身が前向きになりたい」というAさんの思いを引き出して、母子は当施設に入所した。

入所当日のAさんが発した言葉は今でも忘れられない。入所当日、部屋の布団一式を見て、「あーっ！　お布団がある。これでお布団で寝られる」と言ったのである。入所前の調査票にはそれまでの生活では布団はなく、床に母子で雑魚寝だったと書いてあった。

もう一つ印象的だったのは、入所面接で「これからの生活目標は」と聞くと、「早く人間になりたい。普通のお母さんになりたい（食事を作ったり、家のことがいろいろできたり）」と話したこと。翌日、部屋で様子を聞くと「久しぶりにお布団で寝て、気持ちよかった」と語った。

事前に送られた調査票を読んで、Aさんがカビに対して過敏な感覚をもっているらしいことはわかっていたが、引っ越し当日にアパートから運び込まれたAさんの荷物をみて、その過敏さが想像以上だったことを知ることになった。空気清浄機2台、除湿器2台、扇風機3台、イオン発生プラズマクラスター2台、水とりぞうさん（除湿剤）など10個……。まさかここまでとは思っていなかった。入所してからも部屋の台所や浴室の換気扇は常に回っている状態であった。その一方で喫煙は頻繁だった。

施設に入る前の生活は、日中はほとんど横になっていて、夜になるとコンビニに母子で夕飯を買いに出かけるというものだったという。またお風呂は湿気が出るから入らない、子どもには冷蔵庫もタンスも触らせない状態だった。

多くの課題を抱えて

少しずつ様子を見ながら、万年床を片付けようと促したり、家事のお手伝いの申し出をしたが拒否された。Aさんはつっかかってくるようなタイプではなかったが、何か聞いても「わからない」と拒否することが多かった。

とにかく、自分の子も含め、自分以外の人に、室内のあれこれに触られるのを極度に嫌がった。

このことが、Aさんを支援するうえで一番のネックとなった。

またAさんは別れた夫との生活を思い出してしまうため台所に立つのが怖い、ガスのつまみをひねることができない、食事づくりができない、ナイフや包丁に触れることができないなど、生活をする上での多くの問題を抱えていた。

それでも入所して2週間後、「生活の様子はどう?」と聞くと、「少しずつ人間になれているような気がする。以前、旦那がいたときは、怒鳴られたり、殴られたりしたから、今は安心して自分のペースでいろいろできる」「本当に人間になれそうな気がする」と感動的な言葉で答えてくれた。

課題の一つにBちゃんの入浴があったので、「女性職員にBちゃんの入浴のお手伝いをさせていただくのはどう?」と聞くと、あっさり「お願いします」と言ってくれた。しかし他の課題として考えていた、①規則正しい生活リズム、②医療・服薬管理、③子どもへの虐待（威圧的態度により、家庭で子どもが自由に振る舞えない）、④日常生活習慣（歯磨き、入浴、食事、着替え、育児）、⑤基本的な生活能力（金銭管理、家事全般、片付け等）などを改善するという提案はまったく受けつけなかった。

また住民票の異動について説明したが、本人は「前夫からの追跡が怖い」と言って行わなかった。そのため居住実態が確認できないという理由で、住民票は職権消除されている状態であった。

「かまってちゃん」が話してくれたこと

しかしコミュニケーションがまったく取れず関わりにくいというわけではなく、本人自ら「私はかまってちゃん」と宣言する通り、事務室付近をウロウロして職員が話しかけてくれるのを待っているようなところもあった。

入所して2ヵ月たった頃に、急に「聞いて欲しいことがあるんだけど」と言ってきた。そのとき、Aさんはこんな話をした。

○両親について

「私が3歳のときに父親が母親に暴力を振るって、母親が家を出てしまって、5歳のときには児童養護施設に入れられた。夏休みになると、施設に父親が迎えにくるんだけど、ボコボコに殴られ本当につらかった。両親は本当に大嫌い。でもうれしいことも楽しいこともあったから、心からは憎みきれない。憎みきれたら楽になれるかもしれないけど」

○キャバクラ時代のこと

「25歳から28歳までスナックで働いていたと言っていたけど、本当はキャバクラで働いていたんだよね。その頃が人生の中で一番幸せだった。いろいろチヤホヤされていたし、優しくされていたし、みんなからも必要とされていた。いろいろ優遇されてもいた。なのに今はこんなひどい自分になってしまった。何もしたくないし、煩わしいのが嫌い。

あれこれ言われるのも、怒られたり、注意されたり、指示されたりするのも大嫌い。自分の好きなようにやっていたいのに、周りはあれこれとうるさいことを言ってくる。面倒くさい」

○児童養護施設について

「養護施設では先生（職員）がいないところで、本当にいじめられまくっていた。先生に言ったら、さらにひどいいじめに遭い、恥ずかしい目にも遭った。ひたすら我慢するしかなかった。先生には何も言わないようにしようと決めた。また『人殺し』と陰であだ名で呼ばれた。いろいろ我慢していたが、あるとき我慢できずに大声で叫んだ、というより発狂した。そうしたら無理やりカウンセリングを受けさせられ、過去を根掘り葉掘り聞かれ本当につらかった。私がいた頃は高校は県立のみで私立は認められなかった。家には絶対に帰りたくないと思っていたから、名前を書くだけで合格できる高校（女子高）に入った」

親からは虐待を受け、児童養護施設では子どもからいじめられ、職員も味方にはなってくれなかった。その傷の深さを思うと、私はせつない気持ちになった。それでもAさんはなんとか生き抜き、たどりついたキャバクラでは、人から優しくされ、必要とされている感覚を、おそらく初めて味わったのだろう。家庭でも児童養護施設でも、自分の感情や本来もって当たり前の「〜したい」という欲求を抑圧されてきたAさんにとって、キャバクラは居心地のよい場所だったのだ。だが、Aさんはいま、こんなに「ひどい自分」だと言う。そう言いながら、周りにあれこれ言われるのは、面倒くさいとも言う。さて、これからAさんとどう関わっていけばよいのか。これだけの経験をしてきたのだから、ただとにかく受容していこう、というだけでは、Aさんには何も響かないかもしれない。Aさんになにか気づいてもらえるようなアプローチができないだろうか。話を聞き終わったあと、私はそんなことを考えた。

片付かなかった荷物

当施設では定期的に臨床心理士をまねいて事例研究を行っているが、Aさんが入所して4か月たったころ、この事例研究会で、臨床心理士によるスーパーバイズを受けた。臨床心理士はAさんについて次のよう話した。

これだけのことがあると人格障がいになっても不思議ではない。子どものときに厳しい虐待を受けると脳の一部がうまく発達できなくなってしまう。そういった脳の傷を負ってしまった子どもは、大人になってからも精神的なトラブルで悲惨な人生を背負う可能性がある。普通のことを求めたらかわいそう。心の中は不安でいっぱいなはず。

生活課題に取り組んでもらうには行動療法を試してみてもいいのではないか。行動療法は、ある課題をできたら賞賛する、できなかった場合は「残念だったね」というだけで、決して責めない。たとえば課題ができたら、シールを貼る、それが溜まったら自分に何かご褒美をあげる。そんなやり方でもいい。ただ注意しなければならないのは、自分に価値がないと思っていると、褒めると借金をしているような気持ちになること。「うれしいけれど返さないといけない」という気持ちになるので、やり方には配慮が必要だ。子どもが触っていい物を少しずつ増やしていけるように、Aさんと話して、すぐにOKをもらえなくても、時間をかけて交渉していくしかない。

安定した家庭環境や養育環境で育たなかった母親は、愛着表現にムラがあったり、自分の感情や思いが優先した子育てをすることがある。体験していないことや知らないことをさせようとするのではなく、母親自身の経験や知識を大切に尊重してあげる。

このようなスーパービジョンを受けて、支援者側の理想や常識で関わっていくのではなく、Aさんの気持ちや意思を尊重しながら、まずは寄り添うことを大事にした。Aさんが気づいたり、理解したり、納得したり、行動に移せるようになるには、Aさんのペースがある。自分自身にそう言い聞かせた。

具体的には、Aさんには考え方の選択肢を出して、それぞれについてきちんと説明をした。その上で「あなたはどうする?」と投げかけた。だが、「わからない。どうしていいかがわからない」と返ってくることが多かった。

たとえばこんなことがあった。Aさんは引っ越しの荷物が多くて部屋には入りきらず、廊下に出したままであった。職員としては、いつまでも廊下に荷物があると、消防法上避難経路を妨げることになるのでなんとか部屋におさめてほしいと思う。だからといって勝手に片づけるわけにはいかない。ただでさえ、Aさんは他人に自分のものを触られることを極端にいやがる。本人の意思や意欲も大事にしたいと考え、このままでは、消防法上も問題があり生活もしづらくなると、根気よく説明した。

Aさんはそのつど「自分でやるから待ってほしい」と言う。そこで期限を決め「片付けが難しかったら、職員に手伝わせてほしい」と話し、約束をした。しかし期限が過ぎても変化がないので、「職員に手伝わせてほしい」と伝えた。だが、Aさんは頑なに拒否した。結局これらが繰り返されて、最後は児童相談所の職員と一緒に半ば強制的に片付けることになった。

臨床心理士にすすめられた行動療法については、お風呂に入ったとき、掃除をしたときなど、生活上の課題をクリアできたときに手帳にシールを貼っていき、10個溜まったら褒めて、できなくても一切責めたりはせず、「つぎ頑張ろうね」とだけ伝えるようにした。しばらくは継続したが、シールを貼れない日が続き、途中で断念した。

前にも書いたようにAさんは子どもであるBちゃんが部屋のものを触ることを許さなかった。衣類、冷蔵庫、食材など、職員は何度もどれならBちゃんが触ってよいのかを尋ね、交渉をしたが、決裂することがほとんどだった。触ってもいいものが交渉の結果決まったとしても、最終的にはそれを許されなかった。

このように私たち職員がどんなに言葉を尽くしても、Aさんが納得し合意をしなければ先に進まないことを嫌というほど思い知らされた。私は、思い通りにならないことばかりの中で、葛藤の日々を過ごした。

正面からぶつかりながら

スーパーバイザーの臨床心理士は「Aさんに普通のことを求めたら、かわいそう。心の中は不安でいっぱいなはず」「安定した家庭環境や養育環境で育たなかった母親は、愛着表現にムラがあったり、自分の感情や思いが優先した子育てをすることがある」と言った。

頭ではそのことを理解はしていたが、子どもが一緒に生活し子どもの最善の利益を考えると、アドバイスに沿った支援をするのはなかなか難しいというのが、その当時の自分の思いだった。そのため実際には感情にまかせて注意をしたり、怒りをぶつけたり、Bちゃんの前で言い合いになってしまう場面もしばしばあった。

あるときBちゃんがお腹を空かせて何かを食べたいと訴えてきた。そのことをAさんに話しても聞き入れない。私が「それはBちゃんがかわいそうだよ。もっとBちゃんを大事にしてよ。それでは母親じゃないよ」と言ってしまった。

私は、子どもがいなければ、どんなことがあってもAさんに時間をかけて向き合っていくけれど、目の前の子どもが、子どもらしい生活ができていない状況がどうしても受け入れられなかった。安心できる居住空間が確保できず、母親に対して怯えた生活をしているBちゃんがここにいる。なんとかしなければ、と正面から彼女にぶつかってしまう。このような場面が頻繁にあった。

Aさんに変化がなかったわけではない。5年ぶりだと話していたが、炊飯器を購入してご飯を炊いたり、浴槽にお湯をはってお風呂に入ることも少しずつできていった。一方的に注意するだけでなく、促したり提案したりとやり方を変えて、Aさんを応援しているんだというメッセージを送ったことがよかったのだろうか。

だが、じつのところ私自身の気持ちは怒りややるせなさでいっぱいであった。自分のこのような本心と、発出している言葉のギャップによって自己嫌悪に陥り苦しんだ。Aさんは変化が見えたと思ったら、またもや攻撃的になったり、頑なに拒否したりすることもあって、いったり来たりの状態だった。結局、ご飯を炊いたり、お風呂に入ったりも続かなかった。

Aさんは入所前から精神科クリニックを受診しており、不安障害と対人緊張と診断されていた。当施設で暮らしてからも受診は続いており、受診時には私も一緒に病院に出向いて同席した。施設入所前には12種類ぐらいの薬を服用しており、主治医は少しずつ減薬する方針で進めていこうとしていたが、本人はなかなか納得しなかった。しかし主治医はこのまま飲み続けていくと、副作用（頭痛、腹痛、倦怠感）が心配だからと、粘り強く減薬を働きかけ、減らしていくことができていた。

診察後に主治医とふたりで話す機会がよくあったが、医師は決まって「親子で生活していくのは難しい。Aさんがひとりで生活をしていくのも無理なのに、子育ては難しい。ただ親子が分離になると、どちらも精神的に崩れてしまう。精神的に良くない」と話した。医師も悩んでいたのである。そしていつも「焦らずゆっくりと進めてください」と助言してくれた。

3回の一時保護の末に

どんなに関係機関が集まってカンファレンスを行い、情報共有や共通理解を重ね方針を立てても、当事者であるAさんが納得し合意しなければ前に進めない。支援の行き詰まりを感じつつも、Bちゃんの入浴の手伝いはできていたし、Bちゃんの学習や遊びも支援できたことが唯一の救いであった。

しかし恐れていたことが起きた。AさんがBちゃんを殴ったり、部屋から閉め出すことが続き、結局児童相談所に一時保護されることになったのである。その2か月後も同じようなことが起きて、Bちゃんは再び児童相談所に一時保護された。

Bちゃんの一時保護は毎回、簡単ではなかった。2回目の一時保護に至る際も、Bちゃんが助けを求めてきて保育室で保護していたときに、Aさんはものすごい形相でやってきて「絶対に（児相に）預けない。B、一緒にお部屋に帰ろう」と言ってドアをたたき続けた。

私は「Bちゃんは今あなたを怖がっている。そんな勢いで来られたらますます怖い思いをするだけだよ。Bちゃんの気持ちを大事にしてほしい」と話した。しかしAさんは「うるさい。あんたには関係ない。この子は私の子なの」と言う。

私は「BちゃんはAさんの子ではあるが、あなたのものではない。ひとりの人間であり、親だからといってもあなたが自由にすることはできない。それに何か怪我をさせたりすれば、あなたは例え親子でも犯罪者になる」と伝えた。しかしAさんは「うるさい。おまえには関係ない。私の子なんだから返せ」と迫ってきた。このとき、Aさんは私の胸倉をつかんで必死に訴え叫んでいた。私の服はよれよれになっていた。

3回目の一時保護のときはBちゃんを連れて無断外泊を繰り返し、一時行方不明となった。施設を出た知り合いの母子のアパートにいることがわかり、そこに複数の職員で行ってその場で母と子を分離して保護した。Bちゃんは児童養護施設に入ることになった。そのためAさんは母子生活支援施設を退所し，グループホームに移った。

そのときも児童相談所から届くBの施設入所の書類はギリギリまで「絶対に読みたくない。見ない」と拒否的だったが、最後には目を通して施設入所に同意をした。この後は精神保健福祉手帳を取得して、グループホームでケアを受けることとなったのである。

グループホームに引っ越しをする日、私にAさんはこう言った。

「今までいろいろと迷惑をかけちゃってごめんね。でもこんなに男の人にいろいろ言えてケンカもできたのはよかった。いろいろと心配してくれて、一所懸命になってくれたのに、こんなになってしまって本当にごめんなさい」

Aさんとの関係は相撲のぶつかり稽古のようだった。ぶつかられて何度も土俵の下に落とされた。でも私は次の朝は何もなかったように「おはよう」と笑顔で声をかけた。幼児のときに児童養護施設に入り夏休みに一時帰宅しても殴られたりしたと話したAさん。また母親が家を出ていった日が雨だったから、雨の日は嫌いだ、頭が痛くなるとも言った。そんな子ども時代だったのでお母さんもお父さんも嫌い、でも楽しいこともあったから心から嫌いになれない、というA

さんの言葉は消えることなく私の中にある。私を成長させてくれた人である。

母子生活支援施設の限界を超えるために

はじめに書いたように私は児童養護施設の経験がある。そのため母子が一緒である母子生活支援施設が必ずしも子どもにとっていいとはいえないこともあるのではないか、と考えている。児童養護施設では、今回の事例のように食べる物がなくて、あるいは食事をしないまま登校することはない。月曜日に体操着が洗濯されないまま、上履きが洗われてないまま登校することもない。子どもがそのためにつらい思いをしたり、それがいじめに発展することも防げる。

学校から帰ってくれば、職員が一緒に遊んだり、宿題をしたりする。夜寝るときには、消灯時間が決まっており寝る体制を作る。入浴時は職員が一緒に入るので、洗い方がわからない、できない子どもは教えてもらって洗う。学校への持ち物の準備や提出する書類に困ることは決してない。また親ではないが、授業参観、懇談会に出席する。また小学生になれば、配膳準備や食器洗いや片付け、清掃をしたりもする。中学生になれば洗濯も自分でやる。そういう意味では、自立に向けた準備もする。このように子どもの生活は守られている。

しかし母子生活支援施設ではこのような全面的な子どもへの関与はできない。母親という親がいる以上、職員は親の代わりにはなれない。そのために目の前の子どもはさまざまな困難を抱えてしまうことがある。

児童養護施設でも子どもたちは親や兄弟、姉妹を求めているし、一緒に生活ができることを望んでいる。また少人数ではあるが、長期休み（夏休み等）時には親元に一時帰宅できる子もいる。施設に残された子はそれをうらやましがったりしている。

これに対して母子生活支援施設は親子で生活できる最後の砦の施設である。しかし一緒にいる母親の状態によっては、子どもの衣食住が整えられないことが多くなる。

衣食住だけではない。自分の部屋で勉強もできず、学校の用意もきちんとされないことがある。母親が精神科にかかっていて服薬していると、その副作用で朝は起きれず、朝食を準備できないために、食べないまま登校したり、保育園児であれば登園しなくなる。施設職員は送迎を手伝うことはできる。しかし、支援もできることとできないことがあるという現実がある。

児童養護施設においては親の状態と施設の関係で、子どもが不利益を被ることは少なかった。ただし職員は親ではないし、何かあったときの後ろ盾にはなれないというジレンマはあった。

私は今でも母子生活支援施設での子どもを見ていると、この子はお母さんと一緒にいたほうがよいのだろうかと考えることがある。確かに母子生活支援施設では、児童養護施設の子が慕い求めている親（母親）との生活はできる。だが、母親と一緒にいることと引き換えに、親から叩かれたり、ほったらかしにされたり、怒鳴られ、罵声を浴びせられることがある。命の危険がいきなりは起きるわけではないにしても、子どもの心は削られていく、気力も削がれる。そういうことが繰り返される生活の中で、その子はどうやって自立をしていけるようになるのだろうか。

AさんもBちゃんに「おまえはあいつにそっくりだ。おまえなんか、大嫌いだ。あっちに行け」と言っていたことがあった。Bちゃんは、昨日からご飯を食べていないことがあっても、それを職員に言うとことができないと、学校の先生に話している。職員からそれが母親に伝わると、さらなる暴力につながることを子どもは知っているのである。

私はBちゃんについて母親がいるために支援の限界を感じ続けた。何度も母親がいなければ、衣食住で困ることはないのではないか、日々オドオドと不安や恐れに苛まれることなく、もっと子どもらしく天真爛漫に笑顔いっぱいに生活できたのではないか、学習面でも伸ばしてやることはできたのではないかと、悩んだ。

Bちゃんの悲しそうな、寂しそうな目をみながら「ごめんね。我慢してね。つらい思いやつらい言葉の記憶は楽しいことで上書きして。本当はもっと自由にのびのびとして笑顔でいていいのに叶えてあげられなくてごめんね。助けてあげられなくてごめんね」と何度も思ったし、今も心の中で謝り続けている。

母子生活支援施設という生活の場で、子どもたちの悲しそうな寂しそうな目を目の当たりにしているからこそ、母親と話をしたり、子どもの話を聴いて「我慢してね」で終わってしまい、特別な対応をしなかった自分に憤りを覚えた。

誤解のないようにつけ加えておくが、母子生活支援施設で生活する親子すべてがこのようなことになっているのではない。また児童養護施設を過剰に称えているわけでもない。ただ、児童養護施設と母子生活支援施設における自身の経験から、強く感じた思いを正直に書かせていただいた。

母子生活支援施設の、子どもと母親と職員という三者関係の構造がもたらす「かけひき」「押し引き」は、他の社会福祉施設にはない困難な問題を抱えている。私と前施設長の宮下（現・理事長）は、このような経験から児童福祉施設としての母子生活支援施設ではなく、子どもと女性（母親）どちらも対象とする「母子養護施設」のようなものが必要だと語り合った。母子が共に暮らす施設でなければ引き受けられない子どもと母親の存在は確かにある。

施設にやってくる母親はAさんのように、子ども時代に適切なケアを受けられなかった人たちが少なくない。その結果、子育てがうまくいかない。「あの人は、〇〇ができない」という表現をよく聞くが、一概に「できない」とは言えず、「知らない、教えてもらったことがない、体験したことがない、見たことがない」という場合もあって、できないことが少なくないのだ。そこをフォローしないと、母本人にも子どもにも負担がかかってしまう。母子生活支援施設では、母親の子育てを支えるが、子育てをするのはあくまで母親であるというスタンスをとっている。だから、母親が拒絶することを無理にさせることはできないし（もちろん、命に危険が及ぶようなときには介入するが）、母のかわりに子育てを肩代わりすることを基本的にはしないという方針の施設が多いのではないだろうか。

しかし、果たしてそれでよいのか、という葛藤がある。それを解消するのが母子養護施設構想である。そのような施設になることが果たして可能なのか、そうなるためにはどういう改革が必要なのかスピードを上げて議論しなければならないと考えている。

交流分析のエリック・バーンの「過去と他人は変えられない。しかし自分と未来は変えることができる」という言葉を知って、あらためてカサ・デ・サンタマリアに就職したときの自分を思い出した。最初に書いたように私は「相手を変えることができる」と考えていた。しかしそのあとの自分の無力さに悩み自己嫌悪に苦しんだ。そして今はこう考えている。「私は答えを持っていない。その人自身が答えを持っている」と。

当たり前のことだがその人の人生はその人のものであり、私たちの介入や支援を受け入れるのも、あるいはそれを撥ね退けるのもその人が選んでいいのだと今は思う。

ただカサ・デ・サンタマリアにいる間に、一瞬でもいいから笑顔になってほしい。ここでの笑顔、ここでの笑顔の積み重ねがその人の種火となってその人をあたため、変えていくと信じている。そして一緒に成長していけたらと思っている。

interview

ここに来てから自分を肯定できるようになった。私は大丈夫って思えるようになりました。

鈴木真理さん（仮名）は40代の女性。カサ・デ・サンタマリアに二人のお子さんと入所中だ。ついさきごろ、離婚も成立。自立に向けて準備を進めている。鈴木さんにカサ・デ・サンタマリアでの生活について率直に語ってもらった。（聞き手：今井綾子）

――サンタマリアの生活でうれしいこと、楽しいことってどんなことですか？

鈴木　自分の思いを他のだれかと共有したり、共感したりしてもらえることがうれしいですね。それが私の念願だったので。ここに来るまで自分の思いを話すとき、感極まって、泣いてしまったり、早口になってしまったりすることもあって……。自分のために何かをすることを悪いことだと思っていたんです。入所してからも1、2年は、自分の思いや悩みなど、そんな取るに足りないことを聞いてもらっていいのかな、と考えてしまい担当職員にしか話せなかった。でも、生活に慣れていくうちに他の職員にも何気ないことを話したり、相談できるようになりました。

――そう思えるようになったきっかけって何かあったのでしょうか？

鈴木　きっかけというよりは、生活に慣れていくうちにいろいろな職員が「魔法のような言葉」をたくさん言ってくれたことが、自分の中で肯定感につながったように思います。

――魔法の言葉ってどんな言葉？

鈴木　「大丈夫だよ」という言葉。その言葉を言ってもらえて、すごくうれしかった。私、離婚が成立するまでは、前の生活とか思い出して自分を責めていたんです。あとは子どもをよく注意していました。「人に迷惑をかけちゃいけない」と、体裁を気にして。子どものことを思ってというより、周囲の視線から逃げたくて注意しているような状況でした。でも、ここで暮らしているうちに、今はこんな状況だけど私は大丈夫、自分が大丈夫と思ってもどうしようもないときは、職員の「大丈夫よ」という言葉を思い出し、「自分は大丈夫」と安心させることができるようになりました。

——では、サンタマリアの生活で悲しかったこと、残念に感じたことはありますか。

鈴木　入所当初、生活に慣れず、子どもが同じ年代の他の世帯の方と、なかなかお話ができなかったこと。子どもたちの間でトラブルがあったんですが、話せなくて。それが悲しかったですね。

——コミュニケーションが取れなかった理由はどんなことなんでしょう？

鈴木　自分の気持ちが萎縮してしまって……。他の方に強く言われてしまうとうまく返すことができませんでした。

——鈴木さんとしてはもう少し他の方とお話しできるようになりたかったという思いがあるんですね。

鈴木　他の方は保護者同士仲良くしているので「自分もそうしないといけないのかな」と考え、できない自分が悲しかった。でも今は、必要以上に親しくしなくてもいいのかな、挨拶ができれば大丈夫なのかしら、と思うようになりました。

——そうなんですね。お子さんとの関係はどうですか？　なにか変化はありますか。

鈴木　最近、子どもが反抗期に入り、がみがみ言ってても聞いてもらえなくなっちゃって。

——鈴木さんはそれをどうとらえているのかな？

鈴木　自分の思いを伝えて言い聞かせなきゃいけないんだけれど、穏やかに伝えているので、怒りのエネルギーを消費しなくなりました。ただ、自分が手を抜いているんじゃないか、と思うこともある。もう少し強く伝えたり、あきらめちゃいけないんじゃないかと思ったりします。

——鈴木さんはすごく肩の力が上手に抜けるようになって、リラックスした状態で仕事のことや子どもの

こと、家のことを柔軟に考えられるようになってきている印象があります。

鈴木　長女が5年生くらいまでは怒鳴っていましたよね。怒鳴り声が廊下にも響いていたんじゃないかしら。5年生が過ぎてから、自分をリセットするために廊下に出ていました。22時を過ぎたら廊下に出ちゃいけないと思っていて、だから出られず悶々としていたこともあった。でも、1、2年前くらいから、怒鳴ることはなくなりました。

——それは子どもが大きくなったから？

鈴木　怒鳴ったりしても「うるさい」って言われてしまうので（笑）。そういうときは伝わってないだろうなと。なるべく雑談のときに伝えるようにしています。あとは語尾を変えています。「こうしたらどうかな？」など提案の形にしているんです。無視されることがほとんどだけど、とりあえず伝えて耳に入れることにしています。納得していれば本人が行動に移してくれるだろうし……。

——臨機応変に対応できるようになったのは、鈴木さんの変化ですよね。広い視野で状態を見極めて対応に工夫しているように思います。

鈴木　職員さんがいなかったらそういうアプローチはできてなかったと思います。子どもへの対応について相談したとき、大人としての自分の気持ちを受け止めてくれるだけではなく、子どもがどんなふうに感じるか、子どもの気持ちでアドバイスしてくれた。そこで「そっか！」と気づきになり、ずいぶんと変わったと思う。子ども目線で子どもの気持ちを代弁してくれることがすごくよかった。私は、自分の考え方や固定観念で子どもに話してしまうので、子どもの反応がそれとは異なるとイライラしてしまっていたんですよね。それを職員さんに話すと「鈴木さんの気持ちは間違ってないけど、子どもは○○な気持ちなんじゃないかしら。今は少し待ってみて」などアドバイスしてくれて、そのとおりにすると変化が生まれたりする。相談したとき、否定されないで共感されたこともうれしかったな。

　ただ、私は、たくさん聞きすぎると頭の中でフリーズしてしまい緊張してしまうところがあって。

入所した当初はよくそんな感じになったので、アドバイスもらったことも取り入れられなかったことがあったかも。

――今は大丈夫？

鈴木　そうですね。今はそういうことはないですね。気持ちも柔軟になり、ほっこりしながらいろいろなアドバイスをもらっています。

――母子生活支援施設に期待したいこと、希望することはありますか？

鈴木　行事を継続してもらえるとありがたいです。ここで生活して、季節ごとの行事を体験できたことがすごくよかったんですね。着物を着たり、茶道をしたり。次女は七五三の時に着物を着させてもらいました。フラダンス、フラワーアレンジメント、メイクレッスンなどなどもやりましたね。じつのところ、そのときはけっこう大変な思いですけれど（笑）、いろいろなこともあるんやったりしていて、つらいと思ったこともあるんですけれど（笑）、いろいろな講師の人たちがいて楽しいし、退所をしてから、たとえば同じ場面に出会ったら、ちょっとかじっていたな、と思えるときが来るんだと思います。

――最後に職員に対して希望すること、期待したいことがあれば教えてください。

鈴木　初めてこの施設に来たとき、どの職員も対応が丁寧であたたかな気持ちになれました。心がほぐれた感じです。あとうれしかったのは、施設長が「字がきれいですね、習字習っていたんですか？」と言ってくれたこと。高校生のときに教科書の字をまねしながら、とめ、はねを意識して、ゆっくり書くようにしたら、字がうまく書けるようになったんです。その私の特技に気づいてほめてくれたのがとてもうれしかった。

子どもが小さいころから見てくれているので、職員は家族や親戚より成長を共有できる存在です。子どもも、職員さんのこと、よく話を聞いてくれる身近で安心できる存在だと感じていると思います。いつまでも、そのような存在でいてくれることが私の希望です。

――そういってもらえて、こちらもうれしいです。今日はどうもありがとうございました。

退所者から——自立のために必要だった4年間

我が家は、私、娘、息子の3人家族です

サンタマリアに来たばかりの頃は、私がしっかり頑張らなきゃ！　という気持ちと、抱えていた問題の大きさに押しつぶされそうでした。そのうえ、安全確保のために、「離婚が成立するまでは携帯電話を持てない」「自分の両親や友人と会うことも、連絡を取ることもできない」と言われ、早く前へ進みたい気持ちがあるのに制限がある生活は想像以上に精神的につらいことでした。

風水や縁起の良いとされているものにすがるなど、自分ができることは試して、つらさを乗り越えようとしていました。そんな私をいつも気にかけ、見守ってくれていた職員さん。かれらが悪いわけではないのに、心を閉ざしてしまうときもありました。

早く自立するのが目標でしたが、我が家の課題を一つひとつクリアしていきながら、カサ・デ・サンタマリアの生活にも慣れていき、結局4年もお世話になってしまっていました。家庭それぞれの事情に合わせて、ルールの範囲内で何がベストなのか、一緒に考えてくれたことがとてもよかったです。

じつは行事などあまり気の進まない私でしたが、フラワーアレンジメントやパン教室など、やってみると夢中になり楽しめました。子どもたちの誕生日には、プレゼントと写真付きの手作り誕生日カードを、母である私の誕生日は、花束と家族分のお弁当とケーキをいただき、しかも「ハッピーバースデー」の歌を職員さんに歌ってもらえました。

サンタマリアで過ごした4年間のすべては、我が家が自立するために必要なことだったと思います。どんなときも見放さず向き合ってくださり、感謝しています。ありがとうございました。

第Ⅲ部

アフターケアと多文化ソーシャルワーク

5　退所後も伴走し緩やかに支援する

母と子が地域で安心して暮らせるために

方　こすも

「アフターケア」ということばを初めて耳にしたのは、母子生活支援施設カサ・デ・サンタマリア（以下サンタマリア）の面接の席だった。私は２０１１年から２０１５年までの4年間、夫の仕事のために韓国に移住した。その間、主にＤＶ被害などに遭った移住女性や多文化家族を支援する韓国の行政機関である「財団法人韓国女性人権振興院移住女性緊急支援センター」で移住女性相談員として勤務した。[*1] 韓国では、少子高齢化対策の一貫として移民政策を推進し韓国人との婚姻関係にある女性を移住女性、その家族を多文化家族と呼び手厚く支援していた。

私は、大学で東南アジア言語を専門とし、日本でも外国人支援に携わってきていたため、帰国後も引き続き多文化ソーシャルワークに関わる分野で何かしたいと思っていた。しかし、日本では同じような仕事は見つからなかった。そのとき、求職活動で目にしたのがサンタマリアの職員募集であった。

母子生活支援施設は広くは知られていない社会福祉施設であるが、私が社会福祉士資格取得を目指していた時の実習施設であった。そこで韓国での移住女性相談員と多文化ソーシャルワークの経験を生かすことができるのではないかという期待を持って、サンタマリアの求人に応募した。

しかし、その面接の席で聞いた「アフターケア」についてはまったく知らず、恥ずかしながらその席で「母子生活支援施設のアフターケアって何をするんですか?」と質問したことを今でも鮮明に覚えている。そんな私が、2016年から母子生活支援施設のアフターケア専任職員として前任者が築き上げてきた土台を引き継ぎ、手探りで新たな歴史を切り開いていくことになった。

25年の歩みから振り返る ―― アフターケアと自立支援

サンタマリアにおけるアフターケアは創立5周年を迎えた2002年ごろから始まっている。当時はアフターケアといっても、退所者が近況報告や相談などで施設に立ち寄ったり、電話をしてきたりする際に、職員が対応する程度のことを指していた。その対応件数は、2003年30件、2004年度34件、2005年度34件、2006年度は27件となっている。

ただ2004年12月には「平成16年法律第153号児童福祉法の一部を改正する法律」が公布され、母子生活支援施設の保護機能、自立支援機能に加えてアフターケア機能がもとめられるようになった。さらに2007年4月に制定された「全国母子生活支援施設協議会倫理綱領」では、「母子生活支援施設は、母と子の退所後も、地域での生活の営みを見守り、関わりを持ち、生活を支えることをめざします」と定められ、母子生活支援施設が世帯の退所後の支援の拠点となることが組み込まれた。しかし具体的な支援の内容や方法については言及されておらず、あくまでも理念として掲げられただけであり、実際のあり方は各施設に任されていた。

サンタマリアで正式に「退所後支援体制事業」が位置づけられ、初めてのアフターケア担当職員が採用されたのは２００８年のことである。当時は「退所家庭での安定した生活を支援すること」「在所世帯の施設における自立支援を後押しすること」というこの二つの柱がアフターケアの目的として掲げられ、従来の活動に加えて、アフターケア事業の打ち合わせ検討会、すでに実施している施設の見学、退所者交流会、退所後とその後の生活についてなどをテーマにした母と子のセミナー、退所児童への就学資金助成制度の情報提供と各種手続き支援などが行われた。

相談支援と退所者交流会

２００９年度からは、アフターケアの支援内容は幅を広げ、生活全般、子育て、教育、各種手続きなどの相談業務に加え、退所後の家庭訪問や諸手続きの同行、補完保育の受け入れ、施設内クラブ活動として行われていたフラダンスや行事などへの招待も加わった。

退所者交流会では、その時々に飲茶やハローウィンをテーマにした茶菓などを楽しんだ。ただ退所者同士が集まっても入所時期が違うと互いにまったく面識がないため、最近では外部からハーバリウム（植物標本）の講師を招いてワークショップをしたり、アクセサリーを手作りできるブースを準備して親子で楽しんでもらえるような取り組みも試みた。毎年25名前後が集まっていることの退所者交流会は「母子生活支援施設倫理綱領」の中に記されている「母子生活支援施設の実家的機能」の役割を果たすことを一つの目的としている。

母子生活支援施設に入所してくる女性たちの多くは、「実家」と呼べるような安心して帰ることのできる家がない。サンタマリアは退所者たちにいつでも戻ることのできる実家でありたいと願い、職員たちは交流会への参加を待っている。退所者交流会は年に一度普段は顔を合わせない退所者たちとの再会を楽しみ、近況報告を聞いたり、またその中で相談につながったりもする貴重な場だ。子どもたちも数年間、同じサンタマリアという施設で育ち、きょうだいのように再会を喜び、その頃に戻って自分をさらけ出しくつろいでいる。

外国籍母子の退所

２００９年に地域での手厚い支援が必要とされる外国籍母子が退所したことを機に、退所者を取り巻く地域の関係機関とのネットワーク形成や連携も行われるようになった。生活保護ケースワーカー、女性相談員、スクールカウンセラー、子ども家庭課、児童相談所、保健師、学校などの加わる連携チームを組織し、世帯が生活する地域での新たな支援ネットワーク基盤を整えた。このようなネットワークづくりとそのつなぎ役としてのアフターケア職員の役割は、このころから始まりその後も変わることなく地域でのソーシャルワークを展開している。

また同年には「外国籍在日母子への入所からアフターケアまで持続可能な支援の新たな試み」と題し、日本でひとり親として子育てする母親とその子どもの将来に向けたプログラムを考え実施した。具体的には日々の生活に即した諸課題の捉え方や対処方法を利用者と一緒に考え、話し合う場を設置した。それは「外国につながる母子が全体の30％を占めるようになり開設以来常に課題であったこれらの母子の日本での自立、特に将来に向けてどのように支援するかが重要な課題であったため」（『報告書』はじめに）である。この成果は『外国籍在日母子への入所からアフターケアまで継続可能な支援の試み――日本で生活する外国につながるこどもの将来に向けて』としてまとめられた[*2]（次章の清水石による論考を参照）。

こうした流れを受けて、2010年には「入所から退所までを見据えた一貫した自立支援計画のアフターケア定着を図る」ことを目標に掲げ、インケアからアフターケアまでを自立支援計画の中に盛り込み、アフターケア職員も入所者の施設内の支援に意識的に関わるようになっていった。

アフターケア事業が予算化されて4年が経過した2011年には、少しずつ支援のあり方が形となり「アフターケアにおける自立支援」が計画として議論されるようになった。しかし、全国の施設職員たちが集まる「母子生活支援施設協議会職員研究会」などで展開される議論から、そもそも実践としてのアフターケアに対する考え方や捉え方が違うことを実感させられた。この違いから、「入所施設が退所した母子にどこまで、どのように支援すればよいのか」という課題を私たちはさらに考えることになった。

多くの施設ではいったん施設を退所すると、世帯は基本的に地域で自立していくものとし、何か相談があればそのつど受けるというやり方がされているようであった。一方サンタマリアにおいてはインケアからアフターケアまでを一貫した支援の流れと捉えるだけでなく、地域に出てからをケアの新たな始点と考えている。そして退所支援を行いながら、世帯が地域での支援拠点につながり自立していくことを目的に、アフターケア職員が伴走し緩やかに支援し見守ることにしている。退所後どのように支援していくかということは、アフターケア支援の実践のなかで常に問われ続けていくテーマである。

２０２０年時点において、サンタマリアでは退所後10年以上経過する世帯の退所支援も行っている。母親だけではなく、退所時には小学生、中学生だった子どもたちが成人していても、彼らの就労支援やＤＶ、性暴力、精神科入院など幅広く相談を受け支援している。地域の関係機関から「いつまでアフターケアで関わっていただけるのでしょうか？」という質問が投げかけられるたびに、退所者の支援にいつまでどこまで関わるべきなのか自分にも問いかけてきた。

実際に退所した家族は次々に新しい問題に直面する。もしもサンタマリアのアフターケア担当職員が関わっていなかったら、一体どこの機関が介入できただろうかというようなケースがほとんどであった。

居場所づくり

２００９年、アフターケアのもう一つの大きな取り組みとして新たに導入されたのは退所児童のための「居場所づくり」である。施設入所中は母親が就労などで不在でも、職員が帰宅後の子どもたちを出迎え、宿題を手伝い、おやつを提供しているので子どもたちも母親も安心して過ごすることができる。しかし退所世帯の子どもたちは、そのような環境から地域に放り出され一挙に孤立することになる。こうした状況に不安を感じた数名の母親からの希望もあり、施設内の一室を開放し、退所児童が放課後に集まり、安心して過ごすことのできるスペースを提供することにした。

そこは子どもたちの「居場所」であり、放課後を安心してくつろいで過ごすことのできる場であり、時にはそこから退所後の生活状況などを把握することもできる、職員にも退所者にとっても貴重な空間であった。単なる「居場所」というだけでなく、子どもたちに「来所しやすい状況」をつくることによって、「遠慮なく来てよい」「そこに居ていいのだ」というメッセージを伝える一つ場になっていた。この「居場所」には年間93件ほどの利用件数があった。こうして2012年には、入所者の退所を見据えた自立支援としてアフターケアがほぼ定着したといえる時期をむかえた。

社会資源と地域拠点の開発

サンタマリアでは2013年以降、これまでの支援に加えて新たに「社会資源の開発」「地域拠点の開発」がキーワードとなった。母子生活支援施設の入所者はDV被害、生活の場の喪失、精神疾患などさまざまな課題を抱え、地域で孤立していく存在である。退所直後は、それでも行政機関などの見守りや定期訪問もあるが、時間とともにすべての関係は絶たれ母と子が地域でひっそりと取り残されていく。

そうならないようにするには「ここに行けばなんとかなる」という地域の拠点につなぐことが重要で、それにより退所後の生活の危機的な状況をくぐり抜けることができる可能性が生まれる。したがってアフターケア職員は世帯の必要性や特性に応じた社会資源を常に開拓し、そのような「拠点」となる「場」や「人」につなげていく使命を持っている。

地域の「拠点」を見つけることは非常に難しい。サンタマリアの退所者はそもそも社会にあるサービスなどを上手に活用することができない女性たちである。一般の人々にとっても「拠点」となりそうな学習支援の場や地域生活拠点などに気軽に出入りし、心地よく過ごす利用者となるのはそう簡単ではない。

人々が感じるさまざまな距離感を縮めるために、まず「拠点」はアクセスの良い場所でなくてはならない。また、その人が「安心」して「心地よい」と感じる雰囲気の空間でなくてはならない。そして何よりも大事なことは、そこに安心して信頼できる「人」がいるかどうかということである。

すなわち組織やサービスにつながることではなく、「人」に出会えるかということが最大の鍵となる。アフターケア担当はこれまでのインケアでの関わりと、彼らのライフヒストリーを十分知ったうえで、世帯の持つストレングスとともに、脆弱性、抱えるリスクを十分に把握し、そのうえで母親と子の両方にとってキーパーソンとなる「人」を探し出さなくてはならない。

そのためにアフターケア担当職員には鋭い感性、そして幅広い知識が求められる。母にとって子にとって今何が必要なのか、本人たちが心から望んでいる生活は何か、今は見えていないとしても潜在的な可能性は何かなど、目の前の状況を見すえながらさらに3年後、5年後、10年後と移り変わる母と子の人生を想像し、その世帯にとってキーパーソンとなる「人」に巡りあうことができるよう伴走する。このような終わりのないアフターケアが本来の役割であり姿であろう。

学習支援

２０１４年の大きな変化は退所児童への学習支援のスタートである。入所時は乳幼児や小学生だった児童が、歳月を経て高校進学、大学進学を迎える。退所後の自立を視野に入れ、母からもニーズが高い子どもの教育にも力を入れて取り組むこととなった。具体的にはこの年、「ＮＰＯ法人３ｋｅｙｓ（スリーキーズ）」という団体からチューターが入所者の学習支援のために派遣されることとなった。

退所した子どもたちも対象となり、該当する児童から希望者を募り定期的に施設の部屋で個別指導を受けることになった。この支援を経てこれまで何名かの退所児童が有名大学に入学することができた。進学塾などに通わせることのできない厳しい退所世帯の経済状況の中、このチューター派遣制度は非常に貴重な社会資源であった。残念ながら現在は諸事情からこの事業はいったん中止となり、現在は、チューターがボランティアとして来所し子どもたちに勉強を教えている。今後の退所者向けの学習支援のあり方を模索していかなくてはならない。

また、この時期からまた退所支援の中に進路相談などが増えてきた。ほとんどの母親たちは大学に進学した経験がない。また地方出身者の場合、神奈川地域の受験システムもわからない。外国籍の母親にとっては複雑な受験システムはいくらことばを尽くしても理解が難しい。そのため進学相談では、アフターケア職員が世帯の状況に応じて、学校での面談に同席することもある。たとえば進学相談については次のようなケースがあった。

あるとき外国籍の母親がスーツできちんと正装して施設の窓口に現れた。これから学校で私立高校入学のための校長面接だという。転居支援などで母子と関わってきた私は、世帯の経済状況をある程度は把握していたので、窓口に立っていた母を事務室に招き入れ、今回の私立高校入学に向けた母親の資金準備について確認してみた。

話してみると母親は受験のシステムに関しまったく理解しておらず、英語で説明してようやく現実を把握した。中学生の娘本人も複雑な内容を理解するのが難しい状態だ。学校で補助金が出るので「学費はほとんどかからない」と聞いて、そのまま母に伝え、校長面接の日を迎えたということだった。

この母は非常に努力家で、資格をとり病院のケアワーカーとして働き収入は安定していた。ただ少し前の転居などで貯金は皆無に等しく、子が入学しても入学金や制服を買うお金もなかった。また家族や友人に借りるなど、一時的にお金を工面できる方法もないということだった。

結局その日は学校に連絡を入れ、状況を説明し、学校でアフターケア職員も含め面談をお願いする運びとなった。受験できる高校がほとんどないと言われて、急遽、施設内で職員皆で学習支援に全力を尽くし受験の日を迎えた。そして無事に高校に合格できたときは、施設全体で喜んでお祝いをした。

繰り返しになるが外国籍の母親にとって、日本の複雑な受験制度を理解し子どもを進学させることは非常に難しい課題なのである。ひとり親家庭であればなおさらのことである。複雑な受験制度に加えて厳しい経済状況がさらに母親に追い打ちをかける。学校も丁寧に親子に寄り添う支援体制をある程度整えているが、それでもこぼれ落ちてしまう制度の小さな狭間に母子生活支援施設のアフターケアは寄り添っていく。

退所後訪問とアウトリーチ

２０１５年以降は退所したすべての世帯に対し、退所後の訪問を導入した。何らかの理由により母子生活支援施設に入所した母子世帯は、「自立支援計画」をもとに自立を一つの目標にして母と子の生活を再構築していく。

しかし繰り返されるＤＶ、暴力、貧困、精神疾患などさまざまの要素が複雑に絡み合って生きてきた女性たちが、２､３年施設で生活した後、地域で自立して生きていくことはそう簡単ではない。入所期間はリカバリーの出発地点に立てるようになるまでの準備期間であり、本当の自立のスタートはこの退所後から始まる。

退所の理由はそれぞれだが、退所時期には一般的に2つの気持ちを抱えている。ようやく自立できるという期待と、本当にひとりでやっていけるだろうかという不安の気持ちの2つが入り混じっている。

アフターケア職員は退所後、母子支援員とともに手土産をもって退所者を訪問する。退所者の好みや子どもたちの年齢などに合わせて手土産を選ぶのも、退所後訪問の楽しみの一つだ。

退所後訪問で見せる退所者の表情は本当にさまざまである。多くは非常にのびのび、いきいきしている印象がある。さまざまな経緯を経て施設に入所し、支援を受けて数年を過ごしてきたとはいえ、その時期も含め長い間戦場のような時間を生きてきた女性たちにとって、初めて手に入れたほっとできる時間と空間なのだろう。

その一方で退所後訪問のとき、施設という場での生活が長くなると、その人本来が当たり前に持つ力を失わせてしまうこともあるのかもしれないと感じながら訪問宅を後にすることがある。

そして退所後1年間は定期的に訪問し、子どもたちの様子や母の健康を見守り、母子ともに安定して暮らしている世帯は1年を目安にいったんは終結している。

外国につながる児童への学習支援

２０１６年には、職員が退所した外国につながる児童に対し個別学習支援を行った。外国籍の母親たち自身は教育を受ける機会がなかったとしても、子どもたちの教育には心を注ぐ。

退所した母親から、5年生になる娘が漢字を書く力が弱いという相談を受けた。相談の入り口は「漢字」だったが、改めて確認してみるとCちゃんは1年生の漢字も書けない状態だった。また漢字のみならず他の科目もほぼ同じ状況だった。すでに地域の外国籍児童向けの学習支援教室には通っていたが、発達的にはボーダーラインであり、集団での指導では習得できなかった事情もある。

学校の先生や地域の学習支援教室の先生とも相談してみたところ、やはりマンツーマンでなければ難しいであろうという返事だった。そのため、施設で週2回、放課後に個別指導を行うことになった。1年生の漢字から始まり、それ以前に実際には椅子に15分座ることから始まり、徐々に時間を延ばしていった。

Cちゃんはとにかくサンタマリアに来ることが大好きな子どもだった。それは幸いなことで、毎回楽しみながらまじめに通ってくれた。6年生になるころには徐々に落ち着きを取り戻して、本人も「自分はちゃんと勉強すればできるんだ」という自信を回復したように見えた。

そのころ他区への転居もきまり、新しい学校に転校しなくてはならなくなった。またその先の地域のネットワーク形成や連携を図らなくてはならない状況になり、転居先で新たに外国籍児童向けの学習支援教室を紹介した。しかし自宅から10分のその機関にはつながらず、その後も高校受験にむけて自宅から1時間はかかるサンタマリアで継続して学習支援を受けていた。この事例からも母子生活支援施設が学習支援に果たす役割は非常に大きいといえる。

退所児童の活躍

２０１７年ごろからは退所した児童の結婚式に招待されたり、就職が決まったといううれしい報告もたくさん聞くようになった。また退所し、その後もさまざまな形でサンタマリアにつながり支援してきた子どもたちが、社会に出て活躍する姿が見られるようになった。

大学で社会福祉系の学部を卒業し公務員になった人もいれば、海外留学をし、その後外資系企業に就職をした例もある。こうした数々の報告は退所者にはもちろん、職員にとっても、施設全体にとっても大きな励ましとなった。

統計からみるサンタマリアの入所者像

サンタマリアは創立の1996年から2021年3月までの25年間で166名の入所者を受け入れ、これまでに151名の退所者を送り出してきた。

入所者の3分の2以上の107名がDVなどにより避難してきた女性たちで、その次が生活の場を失い住居がない母子である（表1）。

母親たちの年齢層は子育て世代の20代から30代が多いが、近年は出産後の養育において支援が必要と思われる「特定妊婦」の受け入れなどもしており、10代で未婚の母となった若い女性たちの入所も見られる（図1）。

また最初から生活保護受給者であるケースもあるが、入所してから生保受給の手続きを進める世帯も多い。166世帯のうちの36パーセントの59世帯が生保受給世帯、38世帯、23パーセントがパートなどを含む就労をしているが、そのほぼ同数の22パーセントの37世帯は就労をしてい

表1　入所理由（単位：人）

夫等暴力避難	住宅問題	住宅喪失	遺棄	環境調整	経済問題	家族問題	児童虐待
107	8	13	2	6	4	1	3

未婚	薬物依存	離婚	自立・子育て	母子施設移動	生活困難	生活支援	合計
4	1	4	4	1	1	7	166

ない。

就労をしていない母親は、子どもがまだ乳幼児で就労できなかったり、また多くは精神疾患などで医師から就労の許可が下りていない母親などである（図２）。入所期間は１～２年が最も多く、その次に３～４年と続いているが、６年という世帯も15世帯ほどある（表２）。

６年という時間は一見非常に長い時間のようであるが、たとえば、非常に重い精神疾患を抱えた母親が夫のＤＶなどにより３人の子を抱えて入所してきた場合、まずは、母親の心理的回復を見守りながら安定する時間が必要となる。安心した母親のバランスが入所後にさらに崩れていくこともあり、時に精神科に入院となるケースもある。同時に子どもも入所後にそれまで家庭では表出することのなかった、あるいはできなかった暴力、発達障害が判明したり、思春期うつ、ひきこもりなどの精神疾患などを発病したりする。その場合も、

図１　母親の入所時の年齢

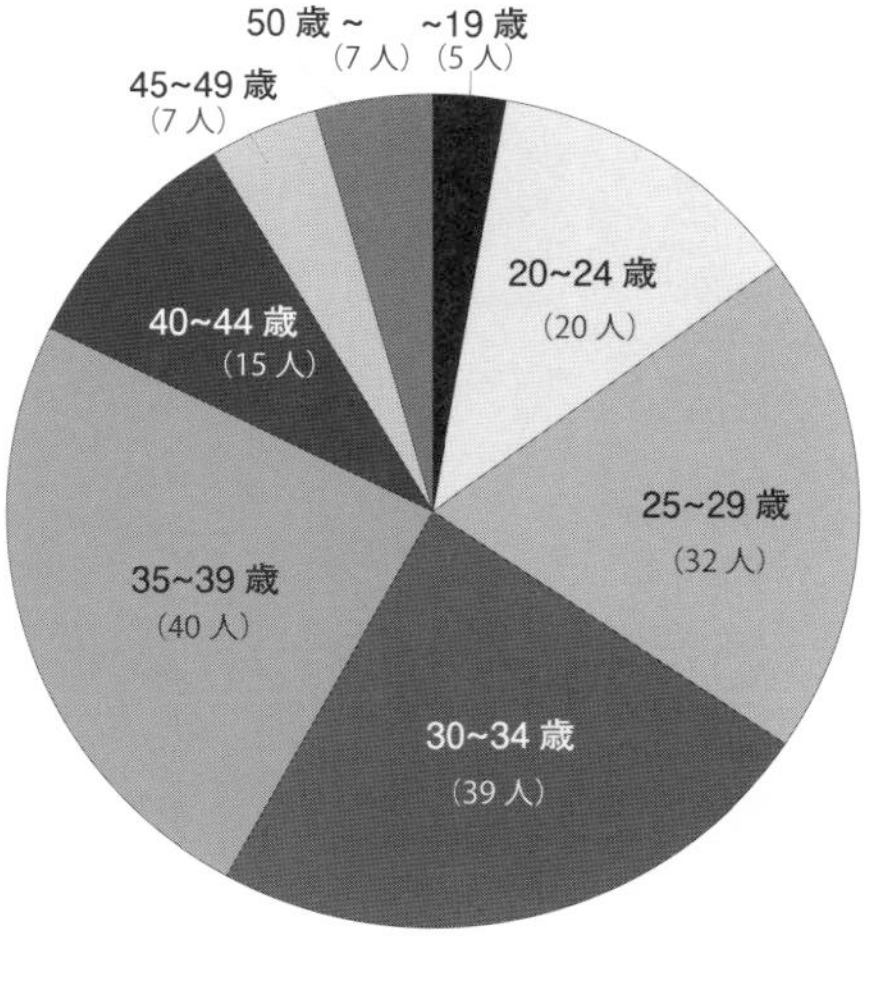

図２　経済状況

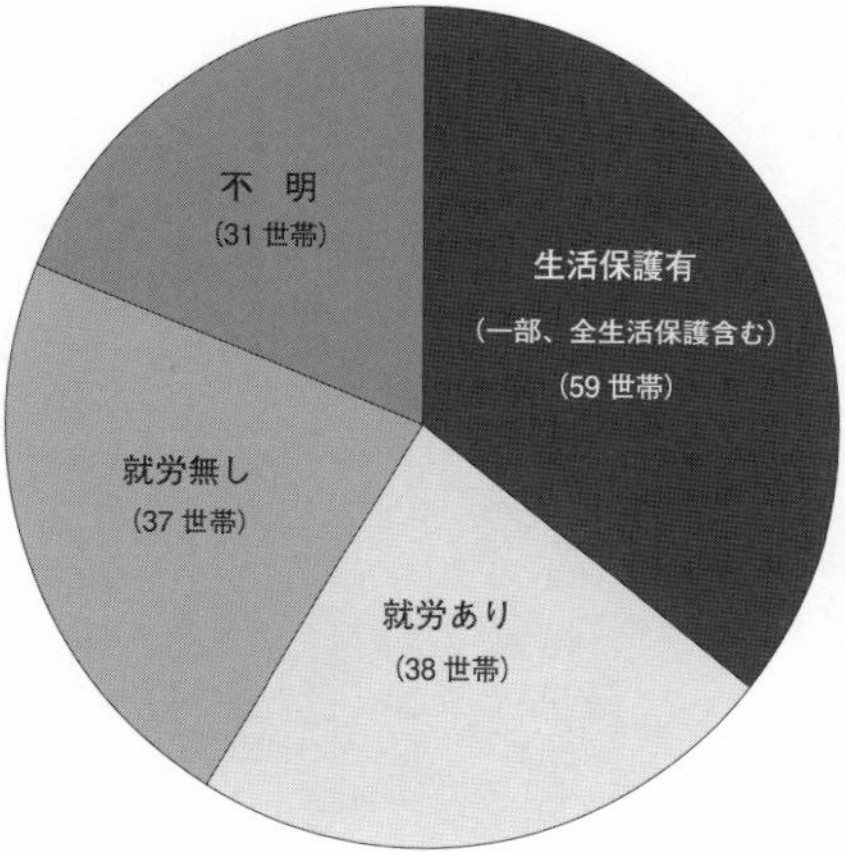

表２　入所期間（単位：人）

入所期間	１年未満	１年～	２年～	３年～	４年～	５年～	６年～	合計
世帯数	23	39	25	24	19	6	15	151

子どもが精神科に入院したり治療施設につなげたりなど、母子それぞれの課題に取り組まなくてはならない。

３人の子どもがいるケースでは、３人がそれぞれの成長過程の異なるステージで形を変えて課題を抱えることも多い。そもそも母子生活支援施設に入所する母には手助けをしてくれる家族がいないケースがほとんどであるため、このような多くの課題を抱えた世帯が、退所後の地域で安定した生活を送ることができるようになるには、それ相応の時間が必要となる。

また施設において母子の再統合をするケースなども、同様に非常に長い時間を要する。たとえば複数いる子どものうちの１人が児童相談所で保護されている場合、まず今いる母と他の子どもの生活が施設で安定し、母親が養育することができる状況になるまで施設でさまざまな形で支援する。

地域ではネグレクトや子への暴力があった母親たちも、施設の温かい雰囲気のなかで心が安らぎ気持ちが安定してくると、過去の履歴からは想像ができないほど生活が整っていく。その段階から施設内での再統合プロセスを経て、ようやく地域での生活を準備するスタートラインに立つことになる。そこに至るまでの長い時間が必要となる。

しかし長い年数を施設で過ごし、さまざまな行事を経験し職員とふれあい、温かい安心した雰囲気の中で過ごし、施設内で心理治療などを受け一見回復したかのように見えても、地域での生活に戻り数年すると、不登校、引きこもり、暴力などまた新たな課題を抱える。アフターケアは、こうした危機に介入し、児童相談所や学校、行政などと連携しながら新たな支援のプラットホームづくりをしていく終わりのない支援ということができる。

退所のタイミング

入所者が退所していくタイミングもきっかけもさまざまであるが、地域生活での自立の見通しが立つ家庭が公営住宅に当選したり、母親の就労が落ち着き、転居に必要な経済的準備が整い子どもが学校に入学、卒業するタイミングなどが多い（図３）。なかには元夫のもとへ戻る決断をする女性や、施設内でも虐待が繰り返されその結果、母子分離となり母親が単身となって退所勧告となるケースもある。

元夫との生活に戻った場合などは、施設の安全を守る観点から積極的な退所支援は行わないのが一般的である。また母子分離になったケースでは、母親にとってそれまで自分なりには努力してきたものの、自らの暴力によってその努力を無にしてしまった自責の念が強い。そういう中で退所してひとり暮らしを始める母親の精神的苦しみは大きい。そのため本人の希望に応じて、施設の心理士との連携により心理相談（カウンセリング）を継続し退所支援を行った。退所後も心理相談（カウンセリング）を継続する。それによって精神的なバランスを保つ母も多く、また施設側も緊急事態に介入することができたケースもある。施設の心理士が退所支援で担う役割も重要である。

図３　退所先

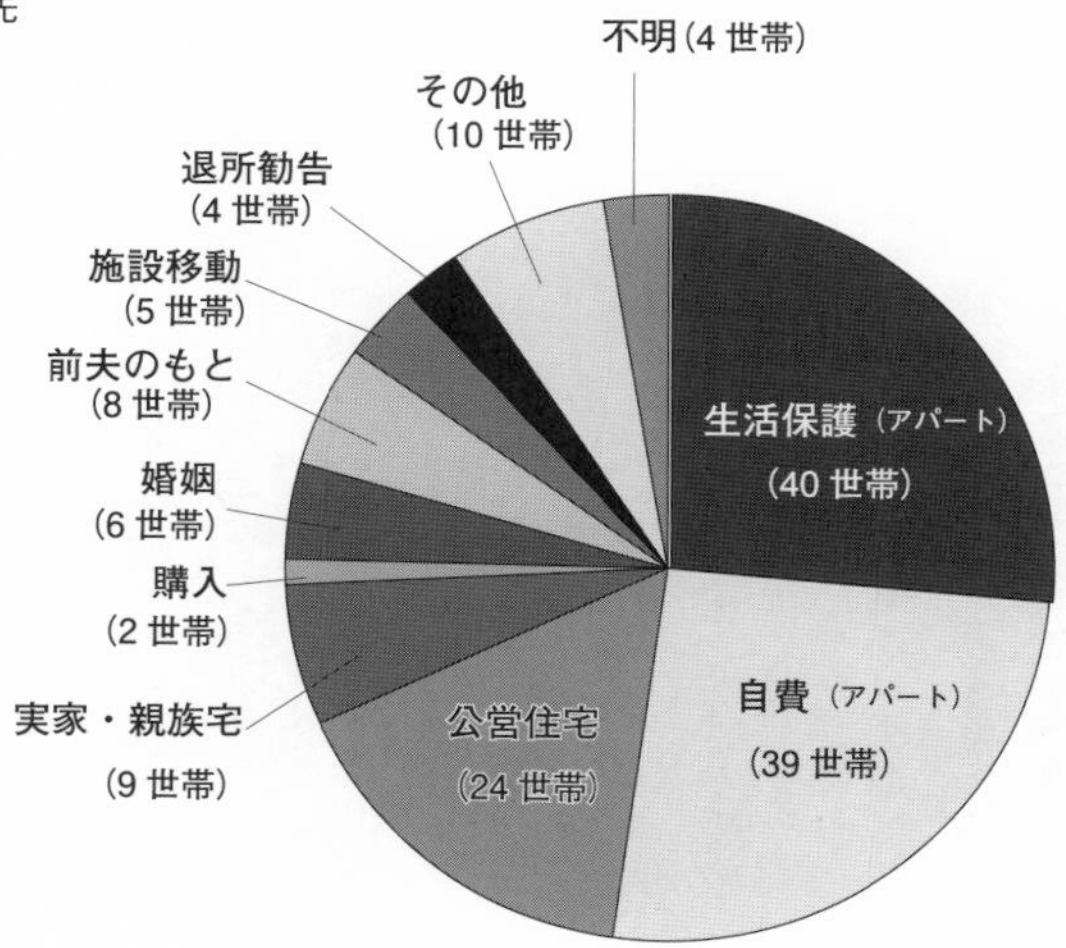

アフターケアという多文化ソーシャルワーク

これまで説明してきたように２００８年に「退所後支援体制事業」として正式にアフターケアを位置づけ、手探りで積み重ねてきたが、10年目を迎えた２０１８年にそれまでの取り組みを「アフターケア退所支援マニュアル」としてまとめた。ここではその「マニュアル」を図式化した（図４）。アフターケアの支援の目的と方針として、「入所から退所後までを見据えた一貫性のある支援と母子生活支援施設の実家的機能と役割を担い、母と子が地域において安心して健やかな生活を継続することができるよう支援する」ことを掲げている。

さて、この10年の間に、我が国における社会福祉政策や子ども家庭ソーシャルワークの状況も大きく変化してきた。施設から地域へと福祉政策も転換し、社会的養護も施設から里親制度、ファミリーホーム等の家庭的支援へシフトしている。そのような流れの中で、母子生活支援施設への入所者数も施設数も年々減少している。

その一方で、ＤＶ相談件数や児童虐待件数の増加、ひとり親家庭の貧困問題やメンタルヘルスの課題などが深刻化している。そのような中で入所者数の減少が続く背景には、施設という機能そのものが今日の母親や女性のニーズや課題にあっていないことや、女性の社会進出や地位の向上等女性を取り巻く社会の変化があると考えられる。

母子生活支援施設は、戦後の死別母子から離婚した生別母子へ移行し、さらには複合的な課題

図４　カサ・デ・サンタマリアのアフターケア退所支援の流れ

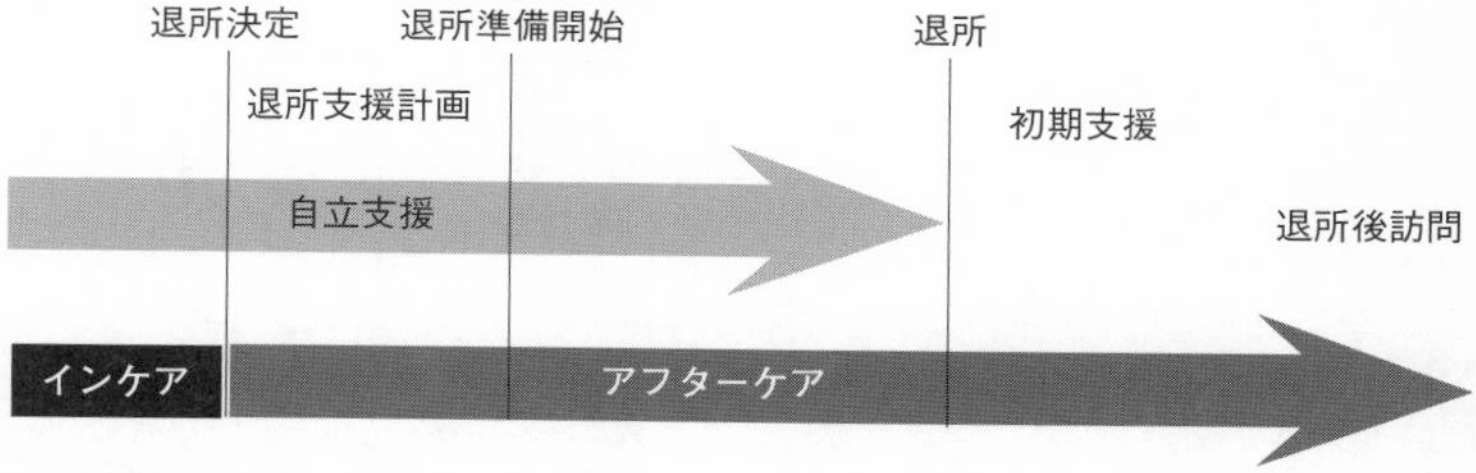

ステップ１
退所後訪問

退所後訪問におけるアセスメントと退所支援計画に基づき必要な支援を行う。おおむね退所後一年間は退所支援期間とみなし、特に定期的に様子伺いの連絡を入れ状況把握をする。孤立しがちな母子に対し、いつでも相談してもよい場所であるというメッセージを伝え安心できるように支援する。

ステップ２
支援拠点とネットワーク形成

本人の希望とニーズに応じた社会資源や支援拠点を開拓し、キーパーソンとなりうる人と連携しネットワーク形成を図りながら支援のプラットホームを整える。

ステップ３
モニタリング

退所者、アフターケア職員、関係機関担当者で支援内容やネットワーク形成の状況を振り返りモニタリング評価を行う。

ステップ４
危機介入

モニタリング時に一旦終結したケースが、再度支援につながるタイミングは往々にして危機介入を通してである。アフターケア職員は速やかに判断を下し、必要に応じて関係機関とのネットワーク形成や支援体制を再構築する。

ステップ５
アウトリーチ

地域における児童の健全な育ちのために定期的に訪問し、連絡をとる。地域で偶然会った時の何気ない会話などからも適切な形で関わり積極的にアウトリーチしていくことが必要である。

を抱えた女性と子どもを受け入れ、24時間体制で女性と子どもを支援する女性福祉と児童福祉の中核的役割を担ってきた。そして今、その専門性や機能を活かしながら、母子生活支援施設は新たな時代における地域の支援拠点として、その役割とは何かを問い直す作業が求められている。ここでは、その役割の一つとして期待される、外国につながる母子に対する支援と多文化ソーシャルワークについて述べたい。

外国籍母子の支援

アフターケア職員は外国籍母子のみならず、すべての退所世帯を支援するが、ことばや文化の壁がある外国籍母子の退所支援に関わる必要性は大きい。アフターケア職員として地域での生活支援に関わり、改めて日本における移民政策や支援が立ち遅れているために外国人が直面する厳しさを目の当たりにした。

私が移住した韓国では、移民政策を積極的に取り入れ、移民支援が定着している。３６５日24時間いつでも電話一本で13か国語による相談や支援を母国語で受けることができる。またワンストップ型の支援センターだけで、生活全般のあらゆる場面の支援に対応できた。

日本では外国人のための相談や通訳は週何回と決められ、また時間も限られている。そのため予約したうえで、相談者も支援者も日程調整をしながら待たなくてはならない。相談は今、ここで緊急に対応が必要なことがほとんどだが、それが進まないもどかしさに、多文化共生社会における多言語支援サービスの整備は急務であることを実感した。

２０１８（平成30）年、政府において「外国人材の受入れ・共生のための総合的対応策」[*3]の検討が行われ、多文化共生社会に向けての具体的な取り組みの方針を定めている。その中には「11言語に対応できる多文化共生総合相談ワンストップセンターを全国１００カ所に整備すること」「法テラス、行政窓口などの多言語化」や「外国人児童の教育の充実」などさまざまな新たな取り組みが盛り込まれた。

今後は行政サービスの多言語化なども進み、タブレットによる通訳相談なども導入され、一般的な生活相談や情報提供などはそのようなツールを使った対応が可能となるなど、新たな外国人支援政策が期待される。

多文化ソーシャルワークとはなにか

暴力被害や異文化間の心理的葛藤などに関わる相談では、それぞれの異なる文化的背景を理解しながら、相手の文化的葛藤や課題に寄り添い、かつ問題解決に必要なソーシャルワークが展開されなければならない。それが多文化ソーシャルワークである。

相談というのは母国語でも非常に勇気のいる場面である。特にＤＶや性暴力などの危機介入、あるいは心理相談には専門的な支援が必要である。それを通訳を介して相談する、ましてや外国語で相談するとなると、そこにはさまざまな壁が立ちはだかる。

外国人が抱える種々の課題や困難には「ことばの壁」「制度の壁」「心の壁」などの壁があると一般的に指摘されてきたが、近年はそこに新たに、「文化の壁」と「アイデンティティの壁」も加えられ、複合的な壁があることが指摘されている。[*4]

単なる「相談と通訳」ではなく、エスニシティを理解し異文化に配慮したソーシャルワーク援助技術が求められる。日本の福祉政策やソーシャルワークを基盤に、相手の生きてきた国の歴史的背景を知り、家族文化を理解し異文化間の葛藤を共有したうえで、通訳者、外国人支援団体、関係機関などとの連携により多文化に配慮したソーシャルワークの実践を展開する必要がある。

たとえば東南アジアやアフリカ諸国からの移民に、子どもが障がい児かもしれないと告げるときの相手の受ける衝撃を想定できるだろうか。私はアフリカで視覚障がい者の親に子どもが付き添い、物乞いをして日々の生活を支えている現実を見たことがある。東南アジアの農村では障がい者が就労をすることは想像もできず、家族が一生自宅で世話をする以外に選択肢がない状況がほとんどだ。あるいは、北欧のような福祉先進国からきた移民の場合は、逆に日本の障がい児教育支援体制の中で子どもを養育することに戸惑いを覚えるかもしれない。

そうした異文化感覚は、支援者自身が異文化の中で生きる葛藤を実際に体験しながら培われるものである。自分が当たり前に感じている日常が、別の文化の中ではまったく通用せず認められなくなってしまう感覚や葛藤を経験したことがあれば、日本に住む外国人の苦労やフラストレーションを理解できるだろう。ことば一つで自分が子どものように扱われる屈辱的な感覚はつらいものである。外国人支援に関わるときはそのような異文化感覚への想像力や配慮が求められる。

多文化共生社会の実現のためには、外国人支援のためのやさしい日本語や多言語支援制度は不可欠だ。しかし、それらを単に相談支援のツールとして活用することで終わらせることなく、それらを入口とし、多文化ソーシャルワークとして地域の中に根づいていくような実践を重ねていかなくてはならない。

近年、海外での生活経験を持ち外国語に堪能なソーシャルワーカー、国際協力や開発援助などに携わった経験のある支援者らがネットワークを形成したり、ソーシャルアクションを活発に展開している。多文化共生社会に向けたソーシャルインクルージョンのために、今後さらに多文化ソーシャルワークの土壌が整っていくことが期待される。

多文化ソーシャルワークに必要な視点

最後に私が韓国と日本で経験した事例を念頭に、言語や文化も異なる外国籍母子や外国人支援に必要な視点をいくつかまとめて整理しておこう。

Ｉ「ことばの壁」に対する配慮――丁寧なインテークと初期対応

ことばの不自由な外国人が気軽に相談することは日本人以上に難しい。そのため相談に来たときはほとんどが危機的状況にある。そこで日本人の初回インテーク以上に、相手が安心しリラックスできる雰囲気や環境づくりを心掛け、一つひとつ確認しながら丁寧な聞き取りを行い、相手の本当の主訴を的確に把握することが大切である。

相手の日本語のレベルにより通訳者が必要かどうかを判断し、必要な場合は通訳者を挟んで面接を行う。主訴がなんであるかわからず、支援者側が主訴を勝手に判断してしまう場合もある。一見日本語が流ちょうに話せるように見える外国人が、実はあまりよくわかっていない場合でもうなずいていたり、聞き返すのが面倒であるために何となくわかったつもりになってしまっていることがある。そのため後になって支援者も相談者も互いに誤解したり、取り返しのつかないトラブルに巻き込まれたりすることがあるので注意が必要である。相手が本当に困っていることは何かを的確に把握しながら理解を深め、必要な制度や支援につなげていくことが求められる。

2「制度の壁」に対する配慮――出入国や在留に必要な基本情報や制度

外国人が日本で生活するにあたり、最低限必要な基本情報を的確に把握しておく必要がある。外国人のアセスメントの場合には、日本人の項目にはない基本情報があるため、できるだけ専用のアセスメントシートを用意しておいたほうがよい。出身国、在留資格、滞在期間、在留期間、入国の経緯、配偶者との婚姻関係状況、本人の国籍と子どもの国籍、母国の実家の家族関係、健康状態、経済状況などの基本的な情報を確認する。この様式は日本社会福祉士会のホームページでもダウンロードができる。

また聞き取りを進める中で、帰国したいのか、日本に残りたいのか、その理由や、現在のサポート状況などを把握しておく。在留資格に応じて利用できるサービスや制度が異なるため、それらを確認しながら支援を進めることが重要である。

さらに状況に応じた法律の知識も必要とされる。親の在留資格の喪失により子も国外退去を余儀なくされ、教育を受ける権利が侵される事態はできるだけ未然に回避しなくてはならない。賄賂による問題解決などが日常的に行われている国から来日した利用者の場合は、行政機関や支援機関さえも信用できないこともある。母国に社会福祉制度が整備されていないため、日本の福祉サービスや社会保障が理解できないこともある。そうした制度を相手が理解できるよう工夫して説明することも必要だ。

DV被害者支援などの緊急性のある支援の場合は、緊急一時保護のシェルター利用の可能性も踏まえ在留資格の期限、子の国籍、金銭の有無、追跡の危険性、日本での身寄りなども把握しなくてはならない。

年金の受給も、国家間の協定の有無により日本で納付した年金が本国で受給できるケースとそうでないケースがあるので、老後に本国に帰国しようとする外国籍の高齢者の支援などには注意が必要である。

3　「心の壁・文化の壁」に対する配慮——文化的理解とエンパワーメント

日本に限ったことではないが、外国人への潜在的な差別や偏見は歴史の中で繰り返され終わりのない課題である。「心の壁・文化の壁」の中で生活するとは、容易に自尊心が損なわれ、自分らしさを喪失しながら生きる状況に置かれることを意味する。

日本は宗教、人種、民族、生活習慣などの多様性の幅が世界の他の国々に比べて狭い。その中で互いに調和と秩序を保ちながら生きている社会である。民族的紛争や宗教対立がある国の出身者は、同国人に対してもまず相手が信頼できる人間かどうか不安を抱えている場合も多い。地域の同じエスニックコミュニティ内でもトラブルがあることもあり、あえて同国人との関わりを避け、ひっそりと生活したいと願っている外国人も少なくない。さまざまな文化的な背景に潜む心理的不安や抵抗感を理解し、どのような社会資源やネットワークにつなげるのがよいのか、あるいはつなげないほうがよいのかを的確に判断し、エンパワーメントしながら環境調整していくことが求められる。

4 「アイデンティティの壁」――その人らしさを尊重する

外国人支援においては「外国人」をひとくくりにしたり、同じエスニシティの人を「〇〇人」としてフィルターをかけて見てしまう傾向が強くなりがちだ。しかし、それぞれのエスニシティにはそれぞれの固有の文化があり、また一人ひとりの育った環境や背景によってそれぞれみなユニークなアイデンティティで生きていることを心に留めたい。

特に外国につながる子どもたちのアイデンティティ形成は非常に多様で複雑である。親の母国との関係性、家庭環境、幼少期に親の母国とどのようなつながりがあったか、母国語の継承などの要素が複雑に絡まり合い形成され、ライフステージごとに変化を遂げていく。

日本語ができない親と母国語が継承されなかった子との親子間のコミュニケーションのずれや、そこから生じる葛藤、親子間の価値観の相違なども「アイデンティティの壁」へとつながる。自分のアイデンティティやルーツを愛し誇りを持てないことはつらいことである。そのことが自分らしく豊かに生きることを妨げてしまう。「アイデンティティの壁」は、人々のエンパワーメントと解放を促進するソーシャルワークの実践が求められる接点でもある。

両親とともに来日したアフリカ系移民の子が、30歳になり日本国籍を取得して日本人として生きていく決断をしたと話してくれた。彼女が幼いときから私が関わってきた女性である。英国で大学を卒業しその後、日本の大学の医学部に進み日本人医師として生きていく道を選んだのだ。欧米では移民やその子弟が医者となることは当たり前の風景だが、日本ではまだ少数派だ。

このような外国につながる子どもたちが大人になって、「アイデンティティの壁」を乗り越えて自由に自分らしく生きていくことができる日本社会となることを願う。

求められるグローカルな視点

面接の席で「母子生活支援施設のアフターケアって何をするんですか」と聞いた私が、経験したアフターケアの仕事は、そのまま多文化ソーシャルワークに重なっていた。

母子生活支援施設の今後を考えるとき、求められるのは「グローカルな視点」である。グローカルとは「国境を越えた地球規模の視野（global）と、草の根の地域の視点（local）で、様々な問題をとらえていこうとする考え方」（大辞林）を意味する。私たちがグローバルな地球規模の課題に直面しながら、目の前の日々の生活をいかに生きていくかという「グローカルな視点」を避けては通れないことを、コロナパンデミック拡大の中で誰もが痛感している。そしてこの「グローカルな視点」は母子生活支援施設のみならず地域社会全体に求められている。それはまさに日本が多文化共生社会に移行しつつあるからだ。

アフターコロナ社会のさらなる変化を見据え、母子生活支援施設を考えるとき、日本で共に生きる外国人、そしてその母と子に真剣に向き合わなくてはならない時代が来ている。サンタマリアはその最前線にいる母子生活支援施設である。

【注】

＊1「緊急支援女性センター」については、다문화 가족 지원 포털 다누리（liveinkorea.kr)https://www.liveinkorea.kr/portal/JPN/main/main.do）を参照。また韓国の相談員の経験については以下を参照。「移住女性と相談――韓国移住女性支援センター相談員の経験」（須藤八千代・土井良多江子編著『相談の力――男女共同参画社会と相談員の仕事』明石書店、2016年）、「韓国の多文化ソーシャルワーク実践」（『ソーシャルワーク研究』47（1）、185頁、2021年）。

＊2『平成22年度鯉渕記念母子福祉助成事業』社会福祉法人礼拝会、2013年。

＊3 https://www.soumu.go.jp/main_content/000596847.pdf

＊4 南野奈津子『いっしょに考える外国人支援――関わり・つながり・協働する』明石書店、2020年。

6 「ことば」を見つめて

外国にルーツを持つ母子の困難と希望

清水石　道子

カサ・デ・サンタマリアが開所した1996年当時は、入所してくる母子の自立に向けた支援はもちろん、地域のさまざまな活動にも参加したり協力したり、とにかく、母子生活支援施設が地域に受け入れられるよう試行錯誤の続く日々だった。施設に暮らす母子が地域の人々に見守られ成長し、自らもまた地域の構成員であるという自覚を持ってほしかったからである。

同時に、地域に暮らす家族にもまたさまざまな課題が存在した。その一つが外国にルーツを持つ母子、とくに、子どもの課題である。当時の施設長（現・理事長）の宮下は、外国にルーツを持つ子どもの学習への遅れをはじめとした諸課題について話し合う地域の委員会や協議会には必ず足を運んだ。本章の研究テーマとなった外国にルーツを持つ子どもへの課題に、地域と共に向き合うという強い思いの表れであったのだろう。しかし、現実問題として、この課題に向き合い解決するのは容易なことではなかった。思いは憂いへと変わっていく。なぜ、子どもたちは社会の網の目からこぼれていってしまうことになるのだろう。「なぜ」は深まるばかりであった。

一方2007年、カサ・デ・サンタマリアでは、横浜市の補助事業の一つである母子生活支援施設退所後支援体制事業として、「アフターケア」にも取り組み始めていた。外国にルーツを持つ子どもたちの退所後も思うような成長につながらない現実の根幹を紐解くには、入所から退所後を見据えた長いスパンでとらえ、考えなくてはならない。「アフターケア」の立場、外の社会を見ることが必要だ。そして、研究はスタートする。

横浜市は全国的に見ても外国籍在日母子の母子生活支援施設への入所率が高く、母子が直面する生活課題は、ことばや文化水準の違いによる社会生活の困難やコミュニケーションの取りにくさという国籍に関係なく生じる問題から個々の問題に至るまでさまざまである。なかでも、DVや遺棄を経験した女性が、日本の社会に馴染む以前にひとり親として子育てしなくてはならない状況に陥ったことにより、その子どもが被る教育的・社会的不利益は計り知れない。周囲の支援を十分に受けられない環境で、ひとり親となったときの子どもの年齢が低いほどその子どもへの影響も大きく、必要な支援を受けられないまま成長した子どもが社会的不適応や精神疾患を発症するケースを私たちは数多く見てきた。このような母子に対し、私たちは外国人であるが故の生活課題を考え、その課題への対処を含め自立支援を行ってきたはずだが、母子が退所した後も必ずしも安定した生活が送れているとは言い難く、特に、子どもの成長に伴って生じる新たな課題や思うような就学就労につながらない現実には、暗澹《あんたん》たる思いと危惧の念を抱かざるを得ない。

また、少子化が止まらない現代の日本においては、労働力の維持に欠かせない外国人の受け入れが新たな問題を生み出している。さらに、これまでの社会の動きを一変させてしまった新型コロナウイルス感染症のパンデミックは、思いもかけない課題を社会にもたらす可能性さえはらんでいる。そのしわ寄せは時を経て外国人労働者をはじめ社会的弱者にいくだろう。私たちは、今目に見えている課題だけではなく、将来にも目を向け、時代が変わっても起こりうる普遍的な課題への持続可能な支援とは何か、答えを探す必要がある。

外国にルーツを持つ母子の調査研究の概要

外国籍母子への持続的な支援の道筋を探るにあたって、本章では私たちが2010（平成22）年から3年にわたり、鯉渕記念母子福祉助成事業の一環として実施した調査研究に基づいて考察する。調査研究では、資料や文献による基礎調査、関係機関や地域の社会資源への訪問調査、多文化・ことば・法律に関する研修やワークショップへの参加を通して、まず、職員自らが知識を問い直し事例や課題と向き合った。その上で、事例を通しこれまでの支援を振り返りながら新たな視点を加え、母子生活支援施設の方向性や役割について熟考し、外国にルーツを持つ母子にとって将来の希望となる支援への可能性を探った。最初の調査から10年を経過しようとしているが、本質的な問題は変わっていないと考えている。

なお、この調査で課題ととらえている事象の対象は、在日外国籍の母とその子どもだが、その重心は在日外国籍の母よりも「外国にルーツを持つ」二世、三世の子どもたちに移りつつあった。

本章では「外国にルーツを持つ」人々を以下のように定義し、本文中では「外国にルーツを持つ母子」「外国にルーツを持つ子ども」のように使っている。

・国籍や言語、文化などが日本とは異なる外国人
・日本で生まれ日本国籍を有するが事情により日本とは異なる側の親元で育った子ども
・言語や文化が日本と異なる環境で育ったが日本国籍を有する子ども
・日本で生まれたが日本国籍を持っていない子ども

また、このような「外国にルーツを持つ」と呼ばれる人々が、日本で生活していく中で直面する困難や課題を理解する手掛かりの一つとして、年代別にその特徴を表1に挙げた。どのような時代背景の下で外国人が来日したのか、それは日本の社会にどのように影響を及ぼしたのか、そして日本はどう対応しようとしたのか、知っておく必要があった。

表1　日本での外国人政策の特徴

年　代	特　徴
1970 年代	在日コリアンの定住化と社会運動（人権運動）
1980 年代	ニューカマーの増加と「地域の国際化」
1990 年代	ニューカマーの定住化と「内なる国際化」
2000 年代	新たな外国人政策の模索（人権・国際化施策から多文化共生施策へ）
2010 年代	人口減少に対する外国人労働者の受け入れ政策の模索 （タブー視されてきた移民議論の始まり？）

出典：山脇啓造「日本における外国人政策の歴史的展開」23－32頁を参照し作成。なお、2010年代以降の動向については筆者が今回独自に加えた。

外国にルーツを持つ母子と地域の特徴

カサ・デ・サンタマリアに入所する外国籍の母の特徴としては、アジア圏を中心とした複数の国籍につながっていることが一つ挙げられる。これまでの入退所世帯の母を国籍別にみると、フィリピン、インドネシア、タイ、カンボジア、ベトナム、中国、韓国、ペルーと8か国に及ぶ（緊急一時保護世帯の国籍まで加えると、ロシア、コロンビア、ラオスなど11か国に上る。2020年度にはガーナにルーツを持つ母子の入所があった）。子どもはほとんどが日本国籍を持っているが、学齢や年齢も違えば、母親の年齢、育った環境、抱える課題からことばの習得状況まで、さまざまな個性を持つ母子が入所してくる。うつなどの精神疾患を発症する者、薬物依存の者、母国での成育歴や生活歴もはっきりとはわからない者もいる。中には知的障害の疑われる母もいるが、何らかの障害によって日本語が理解できないのか、日本語の習得不足によって理解できないのか判断のしようがないため、療育手帳（愛の手帳）や精神障害者保健福祉手帳を取得することもできない。このような状況が周囲への理解を求めることを難しくし、社会から孤立しやすい要因の一つにもなっている。特筆すべきは、ここ数年、日本語で十分な意思疎通ができない母とその子どもの入所が増えてきていることである。中には母語さえおぼつかない母もいる。

地域（横浜市）の特徴としては、多国籍の外国人が散在している散住地区ということがあげられるだろう。言語（母国語）を同じくする国籍の人々が集まっている集住地区のように、1〜2言語で翻訳した情報を用意したり、その国の背景を視野に入れた学習サポートをしたり、言語・文化的背景を共通項としての情報提供や取り組みが難しい点で、散住地区における支援にはより多様な仕組みが必要とされる。

女性や子どもたちが置かれている社会背景

根底にある貧困問題

１９８０年代後半以降の東南アジア諸国をはじめとする新興国からの女性の来日には、出稼ぎ労働による外貨獲得を奨励する国の事情や、送金して家族を楽にさせたいという女性の思いと背景にある貧困を悪用する人身売買のブローカーの暗躍が交錯していた。日本に行けば楽に稼げるといった安易な考えや誤った情報により、来日した女性は不安定な身分（在留資格）のもと過酷な労働を強いられた。

また、日本人男性と結婚した外国人女性は、書類が読めないため言われるままサインする、在留資格の更新など男性に任せきりになるなど、その後、問題が起きたとき、女性自身で解決することが難しい状況に陥る。結婚生活がうまくいかなくなった場合は、家族間でことばのことで疎外されたり暴力を受けたりもする。さらには、日本人同士であれば、学校や地域、保護者などとのつながりの中で自然に身につく教育の仕組み（義務教育や高等教育以降の進路についてなど）が理解できないなど、社会的不利益を被るばかりでなく自尊心の傷つきやストレスにもつながり、子どもの成長や母子関係にも影響を及ぼす。

日本の社会に根強く残る蔑視や偏見

国で考えると、宗教をはじめ習慣やものごとの考え方の違いなどから、私たちが日々の生活の中であたりまえに思っていることや常識だと理解していることが通用しなかったり、その人がとる言動が受け入れられなかったりといったことがしばしば起こる。

日本人男性と結婚しても、男性は女性が住んでいた国を理解する、女性自身を認めるという視点がほとんどない（慣習として東南アジアの女性を蔑視するなど）ため、女性の母語や行動を蔑んだり、子育てをはじめ生活場面において日本に慣れる（同化する）ことを強要したりという実態が多々ある。このような状況が女性の言動、人格を否定することとなり、ＤＶへと発展するケースを私たちは見てきた。

日本に身内がなく、周囲にも同郷の知人やコミュニティがない外国人女性にとっては、家族からのサポートがすべてであり、そのサポートが得られなければ社会からも孤立してしまう心もとない生活環境に置かれるのである。

外国人に対する日本の政策と国民の意識

日本には外国人の出入国や在留を「管理」する政策はあっても、在留外国人の人権保障や社会参加という観点に立った社会統合政策が欠けていた（山脇啓造「日本における外国人政策の歴史的展開」）。そもそも、日本には移民という政策用語が存在しない（ようやく移民への議論が始まろうとしている）。外国人の人口比率が少ないうえ、さかのぼって高度経済成長の時代、すでに都市部では人口が過密状態にあり、農村部からの集団就職や多くの出稼ぎの人で労働力も潤沢にあった。労働者としての移民も、移民のための政策も必要なかったのである。また、日本人の多くが単一民族を志向する傾向もあり、日本は移民国家ではないという漠然とした概念が内在していた。

このような環境と外国人に対する日本の政策が、国民の意識の中に、外国人もまた日本の社会を構成する一員なのだと思考するメンタリティを育んでこなかった。外国人が抱える課題が、日本の政策の在り方によって、より日本での生活のしづらさを招いている構図が理解できる。それは、いよいよ人口減少に歯止めがかからず、生産年齢人口の維持が難しくなっている現在に至っても変わらない。場当たり的な在留資格の見直しにより、抜け穴的に労働に従事している人々の人権侵害の問題が増える一方で、２０１２年には高度人材ポイント制度を導入するなど、日本の経済社会にとって、その外国人が有益か無益かといった選別が行われている印象さえ受ける。依然として私たちの中に根強く存在する見えない壁に私たちは意識的になる必要がある。

一方、アメリカを例に挙げると、定住適応支援という入国するとすぐに受けられるプログラムがあり、住居の確保、生活必需品の調達、生活保護の申請、英語学校への入学手続きほか、当座の生活に必要な支援を行う。ヨーロッパでも、永住する、帰化するという考えが根本にあるため、外国人という排他的な呼び方ではなく、「移民」という包摂的な呼び方をし、その国に受け入れる政策が根底にあることが理解できる。もっとも少なくとも欧米社会では自国第一主義を掲げるトランプ政権が誕生する前後くらいから、くすぶっていた移民排除の機運が一気に高まり、移民が歓迎されない時代に入ってきている。

いずれにせよ、日本は今、生活者としての外国人、外国にルーツを持つ人々、特に子どもたちまでを含めた教育や平等な就労の機会、社会保障のあり方など、彼らが安心して日本で暮らし働くことができる明確な政策を打ち出す必要に迫られている。出入国政策に加え、在住外国人の社会統合に関する政策の整備は喫緊の課題である。

情報提供・サポートシステムの課題

外国人居住者の多い地域・自治体などでは、多言語による情報提供を行っているが、すべての言語で対応できるわけではなく、さらに、緊急時などの刻一刻と変わる情報の発信においては、正確で迅速な対応はかなり難しいものとなっている。また、更新されていない情報が伝えられている場合もあり、情報へのアクセスが困難なばかりでなく、情報の精度が低いため、外国人にとって更なる負担となることも多々あった。

現在では、１９９5年に発生した阪神・淡路大震災を契機に研究が始まった「やさしい日本語」が、災害時対応のためばかりでなく、病院関係者や外国人をサポートする団体などの間で活用されはじめ、講習会も開催されるなど広がりを見せている。しかし、「やさしい日本語」が日常の生活場面で認知されている状況からはまだ遠い。普段見かける商業施設や交通機関の表示なども、生活者としての外国人からはどのように映っているのだろうか。

学習支援の広がりと難しい個別性への対応

外国人や帰国生（保護者の国外転居に伴い海外で教育を受けるなどした後に日本に帰国した息子や娘）を対象とした言語教育だけでは、外国にルーツを持つ子どもの学力の遅れに対応するのは難しい。しかし、近年、学校や地域の市民活動センターなど公共性の高い中間支援組織では、外国にルーツを持つ子どもの背景を視野に入れた学習サポートの試みも少しずつなされてきている。政令市最大の横浜市では、２０４０年頃までの課題を見据えた教育分野での取組みの中で多文化共生を目指した教育に触れている。また、２０１９年には、横浜市教育委員会が「日本語指導が必要な児童生徒受入れの手引」を改定しており、かなり本質的な問題にも言及している。しかし、先に述べたように、カサ・デ・サンタマリアには、国籍や学齢、年齢も違えば、育った環境、抱える課題からことばの習得状況まで、さまざまな特色を持って子どもたちは入所してくる。来日する親子も同様に個々に事情が違う。

今後ますます、外国にルーツを持つ子どもの個別性に対応できる人材や、地域の学習教室ばかりではない仕組みづくりを担える人材の育成も必要になってくるだろう。それぞれの支援組織が家庭や学校とも情報を共有し継続的にかかわることができると、受け皿以上の支援資源になるのではないか。

外国にルーツを持つ母子支援の実際と課題

ことばの障壁がもたらすさまざまな問題

長年多文化ソーシャルワークを研究してきた石河久美子氏が指摘するように、ことばの問題は外国で暮らすうえで最も大きな困難と考えられる（石河久美子『多文化ソーシャルワークの理論と実践』）。来日後の初期段階において、母語であれば当然のように対応できたことができない、生活に必要な情報にアクセスできない、わからないといった問題が、滞在の長期化、定住化に移行することで、さまざまな領域の問題へと発展していく。継続的に必要な支援が適切に受けられなければ、ことばの問題は、自身だけでなく将来的には子どもの成長など先々の課題へと派生していくのである。

日本語は日常使う語彙が世界的にも多い言語である。家族から子育ては日本語で行うよう言われる、離婚によってひとり親として子どもを育てなくてはならなくなるなど、つたない日本語で子どもと接するほかない状態では、子どもが幼少期に触れる語彙も必然的に少なくなり、物事を理解したり学習したりするのに必要な概念、ことばの基底部分が育たないなどその影響は大きい。また、子どもとのコミュニケーション自体がうまくいかなくなるなど、母子関係ばかりか後々子どもの学習の遅れやつまずきにつながり、アイデンティティの形成にも影響を及ぼしかねない。

ここで、二つの事例を通して、「ことば」の課題がどんな事態を招き、生活に支障が出るのかを見ていく。紹介するのは私たちが関わった親子2組である。

合格した大学の入学金が払えず辞退――インドネシア国籍の母と子の事例から

◆概　要

一つ目は、インドネシア国籍の母と子どもの事例である。
母は、20歳のときインドネシアから来日した女性で、入所時は36歳。12歳の長男と2歳の次男と共にＤＶと生活困窮を理由に入所となった。

母：入所時36歳、退所時39歳、インドネシア国籍（入所時の在留資格は日本人の配偶者等、離婚成立後、退所時の在留資格は定住者）
長男：入所時12歳（中学１年生）、退所時15歳（中学３年生）、インドネシア国籍（日本で結婚した同郷の男性との間に生まれた子ども、定住者）
次男：入所時２歳、退所時５歳、日本国籍（母が同郷の男性と離婚後に再婚した日本人男性との間に生まれた子ども）

母は陽気で気さくだったが日本語の対話力や理解力が乏しく、書類への対応や金銭管理にも不安があったため、退所後も継続的にかかわった。

たとえば、どんな困難があったかというと、一つには名前の問題があった。長男の名前の一部によくある日本姓をつけていたため国籍への誤解が生じることがよくあった。公的な書類を書いたり申込書を書いたりするたびに説明を求められ、証明するためにインドネシアから書類を取り寄せなくてはならなくなることもあった。きちんと説明さえできれば特段の措置を求められることもないのに、それができない。一つひとつの行動に時間や費用がかかるなど煩雑さが付きまとっていた。

また、母だけでなく長男も日本の社会制度への理解が乏しく、合格した大学の入学をあきらめなければならない事態を招くこととなった。結局、就職へと進路変更せざるを得なかったものの、就職活動はすでに終盤に差し掛かっていたため出遅れることとなる。生活の中で、歯車がうまくかみ合わないと感じられることがたびたびあった。

社会規範への理解も乏しく、生活保護を利用しているにもかかわらず収入申告をしない、黙って一時帰国する、正当化するために嘘をつくなど、問題視される行動もあり、戻入金（支給の条件に当てはまらないにもかかわらず支給してしまった額について後に行政に返納する費用）が発生するなど在留資格への影響まで出てきた。退所して数年後、小学校に入学した次男も、いつの間にか学校でも地域でも問題のある児童というレッテルが貼られていった。

◆問題の発生と経過

この親子は、引っ越し先が施設の近くであったこと、長男に日本語の不自由さは感じられず、高校進学や入学手続きなどもできていたことから、退所後は、母のわからない書類を説明したり、依頼された手続きを手伝ったり、話を聞いたりと自主性を重んじながら見守りを中心に関わってきた。長男の口からは、弟の進学など手続きは、母に代わって自分がやるといった頼もしい発言も聞かれるようになり、私たちからの学校の個人面談や役所への同行の申し出も、できるから大丈夫と断るようになっていた。実際、学校や役所にも足を運んでいたようだった。

長男の高校卒業の年には、ＡＯ入試で大学進学が決まったと報告に来てくれる。職員も大変喜んだ。ところが、数日後、入学を辞退したと言いに来た。期日までに入学金が用意できないという理由で、大学進学をあきらめざるを得ない状況となったのだそうだ。私たち職員が一連の流れを知ったのは、すべての結論が出た後だった。大学側や役所など、私たちなりに何とかならないか手を尽くしたが、結局本人が納得、母はなかなか現実が受け入れられない様子であったが、就職へと進路を変更した。

納得できない母に、私たちもどうしてこのようなことになったのかわからなかったので話を聞いた。すると、大学進学のために1円の貯金もなかったこと、奨学金だけで大学に通えると思っていたこと、入学金は入学するとき払えばいいと思い込んでいたことなどがわかってきた。さらに入学に必要な資金が全くない中、まだ働きたくないからという理由だけで奨学金をもらって大学に行こうと安易に考えていたことなどが徐々に明らかになってきた。このようなことが通用するはずもなく、状況を一つひとつ丁寧に説明した。

退所後も関わってきたにもかかわらず、私たちは足をすくわれた格好だった。一体何を見落としていたのか。

◆考えられること

母は意外にコミュニケーションが取れるし、支援の申し出に対しても前向きに受け入れているという印象があったため、丁寧に話せば母は大抵のことはなんとか理解していると思われた。しかし、大学進学など、そのときを逃すと取り返しがつかないような重要な手続きでは、大丈夫と断られても（今回は事前に知らされていなかったが）、説明に通訳を手配するなど一歩踏み込んだ支援が必要であることを痛感した。

もっとも、それ以前に、親子の社会制度の理解不足や事前に見通しが立てられないという問題もある。事前に相談してくれていれば、あるいは学校との話し合いの場に立ち会うなど何かできることがあったのではないかと思う。しかし、その見通しを立てることができないのも親子の課題の一つであろう。

このような事例に出会うと、私たちは当事者の先回りをしてまで支援する必要があるのだろうかと考えさせられる。ひとたび退所した家族とは、どんなに住まいが近くても接する頻度は圧倒的に少なくなる。そのような環境で日常的なかかわりをどこまで持てるか、あるいはどこまで持つのか、一つの命題でもあり、その境界は非常に曖昧である。

一方、長男自身の日本語力はどうだったのだろうか。勉強が苦手というのは、ただ嫌いなのか、ことばの問題で学習についていけなくなっていたのか。今となっては知るすべもないが、母子生活支援施設入所中にことばへの視点があれば、長男に対し個別に対応したり、地域の学習サポートにつないだり、また、母に対しても、特に相談したいことなどなくても、普段から地域の支援センターの母語通訳や相談者と話すルートを作っておくなど、できた支援があったのではないか。

子どもの言語力がどのくらい育っているかは簡単に測れるものではない。子どもの成育歴に加え、何歳頃から母子家庭になったのか、どのような言語で、どのようにことばを培ってきたのかなど丁寧に聞き取っていく必要がある。日常会話に問題がないからといって、言語力に疑問を持たないのは大変危険である。

インドネシア国籍の女性の事例では、長男は日本で生まれたが、私たちが関わるケースでは、事情によって母国に残してきた子どもを日本に呼び寄せるケースも見受けられる。来日を望んでいない場合では、子どもたちの精神的な負担は大きい。特に、子どもたちにとっては日本語を覚えるだけでも大変であるのに、生活空間や時間が分断され学業が中断されることにより、学習の積み上げも難しい状況に追い込まれることになる。概念がことばで定義づけされる幼少期に生活が不安定であれば、ことばや概念の基礎ができず、やがてはダブルリミテッド〈母語もＬ２〈第二言語〉もどちらも年相応の言語レベルに達していないバイリンガル〈坂本光代『バイリンガル・マルチリンガルの継承語習得』〉〉となる、アイデンティティの形成が困難になるなど、将来に深刻な影響を及ぼしかねない。

一方で、母親の日本語能力と子どもの日本語能力とに差が生まれ、それが親子関係を変質させてしまう問題もある。たとえば、夫と離婚しひとり親となった外国籍の母の場合、日本語力が、日常生活だけで格段に伸びるとは考えにくく、いずれ日本で学校教育を受けている子どもの日本語力が母の能力を上回るときがくる。そのとき、特に思春期では子どもとの繊細な会話ができない、反抗期の子どもに対話を通して向き合うことができないなど、母子関係に影響を及ぼすことが往々にしてあることを私たちは経験している。子どもが日本語の習得において、母の日本語能力を上回ったとき、それがきっかけで良好な母子関係が崩れてしまわないよう、普段からことば以外の関わりや、母の頑張りを認めるなど母子を取り巻く環境を整えることにも目を向けなければならない。そのような母子関係の課題を抱えたペルー国籍の親子の例を紹介する。

日本語しか話さない娘との対話が困難に——ペルー国籍の母と子の事例から

◆概　要

ペルー国籍を持つ母、34歳。長女は入所時11歳。退所したときは13歳だった。ペルーと日本の二国間の度重なる移動により子どもは住環境や学業、人間関係などが分断され、言語や学習、精神面などさまざまな分野に課題を残した。それは、母への暴力的な言動となって表れ、母は恐怖心と不安など複雑な心境を常に抱いていた。この状況が常態化しており解決の糸口が見つからなくなった事例である。

母　：入所時34歳、退所時36歳、ペルー国籍、在留資格は定住者
長女：入所時11歳（小学5年生）、退所時13歳（中学1年生）、日本とペルーの二重国籍

◆問題の発生と経過

長女は日本で生まれたが、3歳のとき両親の離婚により母に連れられペルーに渡る。しかし、

10歳のとき父が迎えに来たため再度来日したが、結局親子の生活は破たんし、母子で日本に残りシェルター経由で母子生活支援施設に入所となった。日本には母の親類や友人も多く、何かと相談に乗ってもらったり出かけたりと支えになる存在がいるように見受けられた。しかし、核となって母子の支えとなる者はいなかった。

入所当初は過剰とも思えるほど母子が互いに依存し合っている様子がしばしば見られたが、反抗期なのか、長女は徐々に母に対し暴力的な態度に出ることが多くなってきた。学校も不登校気味。母からは、早く退所したいということばが聞かれるようになったが、現実に目を向け、職員の意見を聞くことがなく、むしろ、環境を変えることで娘が学校へ行くようになる、ペルーの仲間が近くにいればうまくいくと信じているようであった。

このような中、母は娘がどんどんスペイン語を忘れていくことを気にしてもいた。友人宅近くに退所先を選び、娘は転校。転校後もいじめなどを理由に再度転校。退所後も、何事も状況を変えることで何とかなると思っていた節がある。アフターケアとして関係機関と連携を取ろうとするが、その矢先に転校してしまうなど、いつも後手に回ってしまい、なかなか流れを変えられずにいた。娘の暴力が激しさを増し、母は対話的に解決したいと思っても、娘は日本語しかしゃべらない、すぐ逃げて話にならないとこぼすことが多くなっていった。

◆考えられること

この事例を振り返って考えられることは、長女は言語が確立する大事な時期に2国間を移動したことで、ダブルリミテッドの状態に陥ってしまったのではないかということである。入所後、長女はたくさんのスペイン語のＤＶＤやＣＤを所持し楽しんでいた。長女の第一言語（母語）は日本語を聞きながらも大部分がスペイン語だったことが推測されるが、再度日本に渡った10歳ではまだ確立されていなかったのだろう。毎日聞く日本語はスペイン語を忘れるには十分だった。スペイン語を維持するには母との会話ばかりでなく、読み書きを続けるなどかなりの努力が必要だ。第一言語であったはずのスペイン語を忘れ、学習にも抽象概念が出てくる10歳頃に現地語が変わってしまった。学習についていけなくなっただろう状況は想像に難くない。こうして母語を失い、学習言語も育たないという状況に陥った可能性は高い。多感な年頃、複雑な心境や思いを吐露することばを持っていたのだろうか。言いたいことを伝えられることばを持っていたのだろうか。施設を出ることが決まった頃、作文は苦手だとこぼしていたことを思い出す。

家族として最も小さい単位である母と子の関係

ほかにも、私たちはことばの問題を抱えたたくさんの外国にルーツを持つ母子に出会ってきた。たとえばインドシナ難民であるＭさんもそのひとりだ。戦火をくぐり、タイ国境の難民キャンプから米国に渡り数年を経て来日した。日本人男性と結婚し二児の母となったものの、いつまでたっても日本語ができないなどの理由で家から追い出されてしまった。Mさんは、幼少時の厳しい政権下で初等教育も満足に受けられず、さらに知的障害も疑われた。何とか一児を引き取り、母子生活支援施設への入所を果たしたが、母語での読み書きはできず会話もおぼつかない。日本語についても発語の不自然さから聞き取りづらく、この母子が退所して地域でどのように暮らしていくのか、考えさせられることが多かった。しかし、じっくり話し合えば理解しあえ、日常繰り返し行う作業は覚えることができた。結局、親せきの家の近くに退所し、退所後つながった学校や地域のさまざまな社会資源の協力もあって、子どもは小学校を卒業した。子どもは施設入所当時から漢字の習得が厳しいなど普通学級か個別学級か迷うケースでもあったが、転校当時の担任の配慮もあり、何とか普通学級で6年生まで進級した。

しかし、私たちも参加させてもらった卒業式では思いがけないことを聞いた。「娘さんは、ゆっくりなりに漢字もずいぶん覚えたし、学校生活も、友達との関係もうまくやっています。ただ、何て言えばいいのか、生活の、家のことばがないんですよね」と。一瞬呆然とした。この事例では、家でのことばがない、つまり、自信をもって話せる言語がなかった母と子どもとの日常生活に、日常的な会話もままならない現実があったのだと、そのときはじめてその深刻さを思い知った。一体、母と子をつなぐ「ことば」は何であったのか。

社会生活の中で最も小さい単位である家族。その中で培われることばの重さを痛感した瞬間だった。同時に、この最小単位に割って入ってでもしなくてはならない支援とは何か、それができるのだろうか、深く考えさせられた出来事であった。一時的にでも家族の役割を担うことが母子生活支援施設にできるのであれば、その方法を葛藤の中にも検討する必要がある。親の役割を職員はモデルとして見せることができるだろうか。

見えてきた課題

暗黙の了解のうちにある日本社会の慣習

母子生活支援施設開所以来、課題と感じてきたことを掘り下げていった結果、私たちは、女性の来日が長期化する過程で、ことばを起点に人生にさまざまな困難が広がっていく様子を見てとることができた。このような外国にルーツを持つ母子が日本で生活していくうえでの課題とは、社会を構成する一員として生きていくことに、さまざまな理由による困難が生じ、その状況が母子関係や子どもの成長に影響を与え、子どももまた将来社会に根を張って生きていくことが難しくなることにほかならない。

課題ととらえる事象を考察するにあたって、私たちは、ことばや母国の背景など当事者の側にばかり注目するのではなく、私たち支援者を含めた当事者を取り巻く環境、すなわち日本の社会や日本人の意識についても目を向けなければならない。痛感するのは、在日外国籍母子の課題ととらえていた事象が、実は日本の政策や制度、日本人の意識によっても惹起され増幅していた現実である。

ここで『多文化共生のためのテキストブック』より「外国人として生きるということ」の一節

を紹介しよう。

外国人の毎日の生活には、日本文化という見えない文化的な基準や規範が確固として存在しており、それらが大きな壁となって立ちはだかっているのである。このことに、私たちは自覚的でなければならない。 ~中略~ あるべき標準として暗黙の了解の形で正当化された日本社会のルールや規範は、知らず知らずのうちに、日本人と外国人の間で、就労、居住、医療、教育、福祉などにおいて大きな格差を生んでいるのである。(松尾知明『多文化共生のためのテキストブック』83頁)

日本にも今に至る長い歴史があり、過去の歴史が今に何をもたらしたのかということもわかってきた。この課題に向き合うには、福祉や教育だけではなく、言語、文化、歴史、民俗、社会システムなど、さらに多くの領域に目を向け互いの要素を関連付ける必要があるだろう。このような奥行きのある課題であるからこそ、私たちは、母子生活支援施設の職員として何ができるのか、何をすることが望まれているのか、あらためて施設の役割を問い直すことが必要だ。そして、これまでの支援の過程で抜け落ちていた視点に目を向け、課題に向き合える知識と技術を身につけていく努力も必要であろう。それには、他の専門領域とも関わりを持ち、互いの専門知識を活かし合い、力を発揮するという構図をまずイメージすることが大切である。

多文化共生政策は外国につながる人々に対してだけ行われるものではなく、むしろ、私たち日本人が意識を変えていかなければ、いつまでたっても「壁」はなくならない。多文化共生への理解は、日本人も多文化の中の一員であるという認識を持つことから始まる。

見落とされる「学習言語」

バイリンガル言語習得や喪失メカニズムを多角的に研究している田浦秀幸氏によると、自然習得される母語は口頭での親子間のやり取りを通して語彙・文法を中心とした基本が5歳ころまでに出来上がる（田浦秀幸『継承語修得と認知能力発達』）。重要なのは、語彙と体験とが結び付き、さらに感覚や感情を伴いながら本当の意味でのことばの概念がわかる、概念の基底部分が形成されることである。たとえば母語で、親のことばで「おむつ汚れちゃったね」「気持ち悪いね」など語りかけることが大切だ。その後も、母語で絵本を読み聞かせたり、簡単な日記やちょっとした文章を書かせたりなど、ことばを育てていく努力も必要だが、この基底部分が育っていれば、片方の言語も強化され、認知や学力面の言語力を高めていくことができる。逆に言えば、この大切な時期に母親が自信のない日本語だけで育てようとすれば、概念の基底部分が形成されない。その上にことばを積み上げる、目に見えない抽象的なことを考察して言語化するといった力をはぐくむことは困難になる。二言語話者であれば、両言語とも育たないいわゆるダブルリミテッドの状況に陥る可能性が高くなる。

一般的に認知・学力言語能力ＣＡＬＰ（Cognitive Academic Language Proficiency）を身につけるには5年から7年、もしくはそれ以上かかるといわれている。したがって、たとえば入所した当初はあまり話さなかった幼児が小学校に入って、急激に会話ができるようになったとしても、学校の勉強に問題がないと思ってはならないし、必ずしも言語能力が高いとは言い切れないことに留意しなければならない。認知・学力言語能力に対し、対人関係におけるコミュニケーションの力ＢＩＣＳ（Basic Interpersonal Communicative Skills）と呼ばれる日常的な会話は、1年から2年と比較的短期間でも身に付くそうだ。[*1] ことばが確立していない子どもにとって楽しい友人とのおしゃべりは、あっという間に日常会話を上達させる。目に見えることは、ことばと結びつけやすい。この様子を見て、大人や教師は、子どもは日本語を習得したと誤解し、学力面の言語能力に問題があることを見逃してしまう。「最近、日本語が上手になったね」は危険なのである。

学年が上がるにつれ学校の勉強についていけなくなれば、学習の遅れにつながり、学習意欲の低下や不登校という事態を招くことにもなりかねない。特に小学4年生を過ぎてくると抽象概念を表すことばが増え、この頃から学習についていけなくなる。何を言われているのか理解できない、想像することもできない。言語的視点がなければ、勉強が苦手な子、母親が日本人ではないからなど見当違いな要因を見つけ出し納得することになる。これでは、この児童に必要な支援が届かない。ことばにできない苦しさは周囲への不信感や自分の無力感を増幅させ、思春期以降、暴力や反社会的な集団と結びつくきっかけにすらなり得る。この苦しさを想像し思いを寄せることができるだろうか。

子どもに概念の基底部分が欠けているかもしれないという言語的な視点を持っていれば、そこを少しでも強化する、立て直すという結論を導くことができる。支援者は言語的な視点を持ってアセスメントに臨むことが重要であり、可能な限り世帯の歩んできた過程を理解し、現状を把握することから始めなければ、将来を見据えた支援にはつながらない。日本人であれば容易に得られるであろうさまざまな機会に、少なくとも将来アクセスできるだけの力が育まれるための支援が必要であることを理解し、母子生活支援施設はその役割をどこまで担えるのか、具体的に検討し実践する行動力が問われる。

母子生活支援施設で暮らす母子にとっての「継承語」・「ことば」

乳幼児期に多くのことばに触れ概念の基底部分が育ち、現地語（生活基盤を置いている国の標準語や公用語）である日本語も学力面の言語力も成長しているようであれば、少なくとも子どもが将来、社会に根を張って生きていくためのことばの土台はできたといえる。もちろん、読み書きを始め言語能力を伸ばす努力は継続的に必要だが、適切な言語接触がないまま二言語（母語と現地語）とも学齢相応に達することができず、その点が見逃され対策も講じられないまま思うような就学就労につながらない将来からは、少し距離を置くことができるだろう。

その一方で、母語は継承されているのだろうか。日本語が上達するに従って日常使う機会が少なくなる母語は、放っておくとやがて喪失する可能性が高い。一度失った母語を取り戻すのはかなり難しい。少しでも残しておけば、自分のルーツでもある母語を将来もう一度学び直すこともできるかもしれない。もちろん、母親が母国をどう思っているか、母国とどのような関係性の中で生きてきたかによって、母語は必ずしも継承語、良いものとして捉えられるばかりではないだろう。

しかし、母子生活支援施設で暮らす母と子にとって、母と子をつなぐことばは継承語として以上の意味を持つ。家族の最小単位である母と子が何でも話せることば、コミュニケーションの手段という意味で決して喪失してはならない。母と子が嬉しいこと、悲しいこと、つらいことを伝えあうことば、励ますことばがないことがどれほどしんどいことか、私たちは共感を超えて自覚的にならなければならない。それだけは是が非でも避けなければならない。「母と子どもが安心して伝えあえることば」を守る、母子生活支援施設にとっての使命ではないか。

「ことば」の視点を取り入れた支援の再構築を

女性たちの来日後、定住化、結婚、出産、子育てと生活が長期化するにつれ、ことばの問題がさまざまな課題へと発展していくメカニズムがわかってきた。また、日本の社会制度ばかりでなく、暗黙の了解のうちに正当化されてきたルールや規範といった目に見えない壁、社会の雰囲気が外国人の生きづらさを増幅させていることにも気づかされた。特に、ことばの課題は、生活そのものに必要な手段としての側面と、子どもの学習、成長発達にとっての側面、そして、母と子のつながりを守る側面の三つの意味合いがあると理解できた意義は大きい。

これらの課題解決は、一施設で対応できることではないが、母子生活支援施設でできることはたくさんある。離婚の問題、在留資格の問題、就労や子育ての問題など課題はいくらでもあるかもしれないが、ここに「ことば」という視点を意識的に持って、適切な支援を提供することができれば、少なくとも子どもが社会に根を張って生きていくために必要な学習の土台を築く一助となるだろう。それは、母親の自信を深め、自立を後押しすることにつながるだろうし、母と子の関係や生活を守ることにもなるだろう。

具体的には入所から退所後、アフターケアまでを見据えた支援プログラムにことばの視点を取り入れ、母子生活支援施設が関わり得る限りの支援を再構築する必要がある。そのヒントをいくつか紹介したい（具体的な支援の取り組みについては、「外国籍在日母子への入所からアフターケアまで継続可能な支援の試み～日本で生活する外国にルーツを持つ子どもの将来に向けて～」を参照）。

母国でなら普通にできることを日本でも

母国でなら普通にできたことが日本でもできるよう、お知らせや入所のしおりなどの情報は、やさしい日本語や視覚的なイラスト・写真を用いるなど、できるかぎり自ら情報にたどり着けるような発信の工夫が必要だ。母親自身が日本語を学習し続けることももちろん大切だが、上達することばかりに目を向けず、私たち日本人が日本語の特異性や難しさに気づき、わかりやすく伝え寄り添う姿勢を持つことが求められている。通訳がいなくても日本語（現地語）で読める、理解できるという体験は重要だ。当たり前のことがひとりでできる、自立支援の第一歩となるはずだ。

しかし、重要なこと、必ず理解してもらわなければならないことを伝えるときは、通訳を入れるなど丁寧な対応が必要であることも付け加えておきたい。

学習するために必要なことばの源をはぐくむ

たとえば、子どもが幼少であれば、母親のつたない日本語（現地語）で話そうとするのではなく、母親が自信のあることばで語りかけることを促す。この会話が子どものことばを育てるのにとても大切で役立つものなのだということ、ことばの躓《つまず》きはのちに学習に影響する実態を丁寧に伝える。

また、子どものことばは環境に応じて変化する。学齢期に流暢に日本語を話すのを見て日本語に問題はない、大丈夫だと思いこまず、作文や漢字が苦手だと訴える子どものことばに学習言語の習得を疑うなど、ことばの基底部分が本当に育っているかということに常に目を向けていくことが大切だ。そして、これらのことを母親自身が理解し、職員と情報を共有した上で子どもに向き合うことが肝心だ。将来母国に戻るのか日本に定住するのか簡単に決められることではないだろうが、どの国に暮らすことになっても成長した子どもが社会に根を張って生きていけるよう、言語的な視点をもって成長につなげる支援が求められる。

家族として最も小さい単位である母と子のつながりを守る

日々の支援にことばの視点を盛り込むことの重要性を認識したことで方向性が見えてきた。しかし、実際にサポートするのは容易ではない。まず、私たちが知ったことは、当事者である親に理解してもらわなければならないし、周囲にも認識してもらわなければならない。なぜなら、皆が歩調を合わせて向き合っていかなければ、子どもが感じる困難を乗り越えることができないからである。しかも、ことばの習得には臨界期があり時間との闘いでもある。子どもたちが学び育つのに必要なことばの源を守るために、私たち支援者が適切なフォローをしなければ、次の世代を担う子どもたちは計り知れない障害を抱えてしまいかねない。

同時に、家族として最も小さい単位である母と子のことばも失われないようサポートする必要がある。それは、母親に、目の前で自分の子どもが自分のことばをどんどん失っていくのを見て悲しい思いをさせないために。子どもが、自分のルーツを意識するときが来たとき、良いものとして記憶と結びつけることができるように。そして、なにより、いつまでも母と子のいい関係が続くよう私たちはサポートしたい。母と子のことばが多少不自然でも、そのことばとルーツを周囲にいる大人や友達が自然に受け止める環境も必要だろう。日本の文化も、親子がルーツを持つ国の文化も多文化の中の一つであって、対立軸にある異文化ではないことを再確認したい。

そして、当然、母と子の関係はことばの側面だけで語られるものではない。母が子どもに向き合い、さまざまな困難を克服しようとする姿を見て育った子どもが、ずっと良好な関係を保つ事例を私たちは見てきた。課題にばかりとらわれず、また、ことばの問題を課題としてのみとらえるのではなく、母のがんばりや、子どもががんばっていることを評価し、そのことを母子の強みとして支援すること、安定した就労はじめ、精神的な支えになるなどさまざまな方向から支援することで、乗り越えることができることも忘れてはならない。

まとめに代えて――多文化ソーシャルワークに求める希望

母子生活支援施設における外国にルーツを持つ母子の自立支援に、ことばの視点を持つことの重要性を述べてきたが、多文化ソーシャルワークは実践されるフィールドによっても、その対象や目的、担う役割、応用するスキルは異なるだろう。母子生活支援施設において展開される多文化ソーシャルワークには、その視座として、親子が暮らす日本で、親子がルーツを持つ母国で、世界のどこでも生きる力、社会の一員として根を張って生きていく力が発揮できるよう、子どもの将来に目を向ける想像力が必要であることが明らかになった。国の移動や虐待などさまざまな理由で、ことばの基底部分を形成する大切な幼少期を安定して過ごせなかった年代の高校生や高校を卒業した若者が、自信をもって社会に出ていけないという事例に最近出会うようになった。それは、日本人にも同じことがいえる。ことばの基底部分を作り育てる支援ができれば、将来国を支える人財になりえるし、母国と日本の懸け橋になれる大人に成長することも可能だ。そのような可能性が広がることに目を向けることができればと思う。自分の子どもがこれら多くの可能性を持って成長していく姿を見ることは、まさに親子の希望ではないか。

先に紹介したように、横浜市では「日本語指導が必要な児童生徒受入れの手引」（令和元年8月改訂版）の中で、生活言語と学習言語、母語と第二言語、母語の維持についてなど、かなり具体的な課題に言及している。これらは教育現場での体制づくりや指導に活かすことをねらいとしているのだろうが、ソーシャルワークにおいても、できる限り適切な形で必要な支援が行えるよう、目の前の現実や社会情勢、教育現場の情報などを提示するだけでなく、コーディネートし確実に実践していく機動力が必要だと考える。

ソーシャルワークの専門領域は広く、すべてを単独で担うことはできないが、多領域を巻き込み、連携する面的な広がりに加え、過去を知り、未来に目を向け今を支援するという時間軸の感覚を、「ことば」を通して具現化することを多文化ソーシャルワークに求めたい。時代背景は文化をますます多様に変えていく。長い間には、それぞれの文化が融合したり、新しい文化が生まれたりするだろう。その中にあって、どこにいても社会にしっかり根を張って生きていける力をはぐくむ実践を、多文化ソーシャルワークが担っていければと思う。いつまでも固定観念で評価し続けるのではなく、見方を変え、外国にルーツを持つことも強みに変える柔軟な発想が必要だ。

【注】

＊1　言語学者カミンズ（Cummins, Jim）は、2年もあれば習得可能な対人関係におけるコミュニケーションの力ＢＩＣＳと、少なくとも5～7年はかかる教科学習に必要な認知・教科学習言語能力ＣＡＬＰとに分けた。しかし、１９８０年頃からは、ＢＩＳＣ／ＣＡＬＰという概念が二項対立であるために誤解を生みやすいということで、言語活動を「認知力必要度」と「場面依存度」という二つの軸で分析する4象限モデルに移行していった（カミンズ著、中島和子著訳『言語マイノリティを支える教育』27－29頁）。

【参考文献】

山脇啓造「日本における外国人政策の歴史的展開」（近藤敦編著『多文化共生政策へのアプローチ』明石書店、２０１１年）
石河久美子『多文化ソーシャルワークの理論と実践』明石書店、２０１２年
田浦秀幸「継承語修得と認知能力発達」（近藤ブラウン妃美・坂本光代・西川朋美編『親と子をつなぐ継承語教育』くろしお出版、２０１９年）
松尾知明『多文化共生のためのテキストブック』明石書店、２０１１年
李節子編集『在日外国人の母子保健――日本に生きる世界の母と子』医学書院、２００１年
佐藤郡衛『異文化間教育――文化間移動と子どもの教育』明石書店、２０１０年
坂本光代「バイリンガル・マルチリンガルの継承語習得」（近藤ブラウン妃美・坂本光代・西川朋美編『親と子をつなぐ継承語教育』くろしお出版、２０１９年）
ジム・カミンズ著、中島和子著訳『言語マイノリティを支える教育』慶応義塾大学出版会、２０１１年
西日本新聞社編『新移民時代――外国人労働者と共に生きる社会へ』明石書店、２０１８年
飯高京子「外国語を話す家庭の子どもの発達と障害」（『地域リハ』6（12）、２０１１年）
中島和子「講演記録　多文化背景の子どもの発達をどう支えるか――母語・継承語の大切さ」（『人間文化：滋賀県立大学人間文化学部研究報告』31、45-59頁、滋賀県立大学人間文化学部、２０１２年）
『外国籍在日母子への入所からアフターケアまで継続可能な支援の試み――日本で生活する外国につながる子どもの将来に向けて』（社会福祉法人礼拝会　母子生活支援施設カサ・デ・サンタマリア、２０１３年）

第Ⅳ部

母子生活支援施設のこれからを問う

7　母子生活支援施設と社会政策

武藤　敦士

　本章を執筆していた２０２０年12月27日、テレビ朝日が放送した香川照之の主演ドラマ「当確師」を観ておどろいた。ドラマの舞台が２０２０年であるにもかかわらず、憧れい演じる市長候補者黒松幸子が「母子寮」取り壊し反対の署名を持参して、市の担当者に政策の撤回を求めるシーンがあったからだ。母子寮が母子生活支援施設に名称変更されたのは１９９７年である。名称変更からすでに20年以上が経過しているにもかかわらず「母子寮」と放送されてしまう現実が、母子生活支援施設の認知度の低さをあらわしていると感じた。

　母子生活支援施設を利用する世帯は減少傾向にある。その理由を認知度の低さだけに求めることはできないが、近年の入所者に占めるＤＶ被害世帯の増加を背景に、情報発信に消極的な施設が多いことは事実である。現在の状況をみると、必要な情報が必要な世帯に十分に届いているとはいえない。母子世帯の貧困率は子育て世帯のなかでも突出して高い。生活に困窮した母子世帯における母親の心身の不調、児童虐待リスクの高さなどが研究者や実践者から指摘されるなかで、母子生活支援施設はその役割・機能を発揮できずにいる。

母子生活支援施設は生活に困窮した母子世帯に対し、総合的で専門的な支援ができる児童福祉施設である。世帯の形態を維持したまま支援できるところに特徴があり、個人に対する支援だけでなく、世帯に対する包括的な支援が可能である。本章ではこのような特徴をもつ母子生活支援施設が現在の政策の中でどのように位置づけられているのか、母子世帯支援と社会的養護の両面から確認し、今後のあり方を考えていきたい。

母子世帯の「自立」支援

母子生活支援施設は１９９７年の児童福祉法改正により施設の目的に「自立の促進のためにその生活を支援」することが加えられ、母子寮から現在の名称に変更された。その後、支援目的に加えられた「自立」をめぐって、さまざまな議論が展開されることとなった。ここではそのなかでも政策的な視点に注目していきたい。

母子世帯の「自立」について政策の方向性を明確に示したものが、２００2年3月に厚生労働省が発表した「母子家庭等自立支援対策大綱」である。ここでは母子世帯の「自立」について、以下のように考えていた。

子どもは、我が国の将来であり、その健全な育成は少子高齢化社会の中で大きな課題となっている。特に母子家庭については、母親の就労等による収入をもって自立できること、そしてその上で子育てができることが子どもの成長にとって重要であり、また、子どもを地域や社会全体で育んでいくことが併せて必要となっている。

これをみると、母子世帯の「自立」を就労による経済的自立としてとらえており、子育てに先立って達成されるべきものであると考えていることがわかる。

さらに、自立支援については次のとおり、離婚直後の生活激変期に集中的におこなうという基本的な考え方が示された。

特に、子どものしあわせを第一に考えて、ひとり親家庭に対する「きめ細かな福祉サービスの展開」と母子家庭の母に対する「自立の支援」に主眼を置いた改革を実施する。その際、離婚後等の生活の激変を緩和するために、母子家庭となった直後の支援を重点的に実施するとともに、就労による自立、子を監護しない親からの養育費の支払いの確保を重視する。

これにともない改正された母子及び寡婦福祉法（現在の母子及び父子並びに寡婦福祉法）第４条では自立に向けた努力の対象として、従来の「家庭生活」だけでなく「職業生活」の安定と向上が加えられた。「母子家庭等自立支援対策大綱」は母親の経済的自立のために、母子世帯の母親の正社員化を意識した保育環境の整備、人材が不足する介護や保育の現場への就労支援などの対策を考えていた。

母子家庭等自立支援対策大綱

「母子家庭等自立支援対策大綱」を中心に、今まで以上に母子世帯の母親に経済的自立を求めたこの政策は「2002年改革」と呼ばれた。この改革で特徴的であったのは、母子世帯に対する主要な社会保障給付である児童扶養手当を引き締め、就労へのインセンティブにしようとしたことである。

母子世帯の母親の多くがすでに何らかの形態で働いているにもかかわらず、それを強化しようとするこの政策は、母子世帯のワーク・ライフバランスを崩す要素を多分に含んでいた。さらに、多くの母子世帯が生活に困窮しているにもかかわらず、児童扶養手当を減額し有期給付化しようとしたことから、この政策はその後多くの研究者によって批判的に検証されることとなった。

母子世帯の経済的な問題が、時間の経過とともに改善するものではないことは、その後の厚生労働省による調査でも明らかになっている。「平成23年度全国母子世帯等調査結果報告」では、世帯の年間収入は母子世帯になってから5年未満の世帯（290万円）と5年以上の世帯（297万円）でほとんど差がみられない。「平成28年度全国ひとり親世帯等調査結果報告」では金額の上昇こそあるものの、やはり世帯の年間収入は母子世帯になってから5年未満の世帯

（351万円）と5年以上の世帯（348万円）でほとんど差がみられない。母子世帯になってから最初の5年間に集中的に支援し、就労による経済的自立を促そうとした政策の誤りを、厚生労働省自ら証明したことになる。

「母子家庭等自立支援対策大綱」では、母子世帯の母親に自助努力を求める視点が貫かれている。大綱では、①子育てや生活支援策、②就労支援策、③養育費の確保策、④経済的支援策、以上の4本柱を総合的、計画的に展開することが目的とされた。その内容をみると、母親の経済的自立のための就労支援策であり、その就労を実現するための子育てや生活支援策であった。養育費の確保策については母子及び寡婦福祉法第5条において、「母子家庭等の児童の親は、当該児童が心身ともに健やかに育成されるよう、当該児童を監護しない親の当該児童についての扶養義務の履行を確保するように努めなければならない」と規定した。主語は「母子家庭等の児童の親」であり、養育費の確保が母親の自助努力に委ねられていることがわかる。経済的支援策においても同様に、スキルや資格の習得にかかる訓練や就学期間中の生活費について、給付ではなく母子寡婦福祉資金（現在の母子父子寡婦福祉資金）の拡充によって対応しようとしている。母子世帯の就労による経済的自立に必要なスキルや資格の習得を、母親自身の借金によって実現しようとしたのである。

「母子家庭等自立支援対策大綱」による支援の4本柱は、今日もなおひとり親世帯に対する支援の指標として位置づいている。2020年4月に厚生労働省子ども家庭局家庭福祉課が出した「ひとり親家庭等の支援について」でも、この4本柱をもとに今後の対策が講じられている。しかし、「母子家庭等自立支援対策大綱」制定当時は引き締めの対象であった児童扶養手当についてはその後、第2子、第3子以降に対する加算額の増額、給付回数の見直し（「年3回4か月分ずつ」から「年6回2か月分ずつ」へ）など、ひとり親世帯の生活実態に応じた改善が一部おこなわれている。

サテライト型母子生活支援施設

「母子家庭等自立支援対策大綱」は母子生活支援施設に、①小規模で設置できるサテライト型の母子生活支援施設の創設、②地域のひとり親家庭の児童を対象とした保育および放課後児童クラブの実施、③地域で生活する母子に対する子育て支援・相談等生活支援の実施、④職業安定法に基づく許可を受けた無料職業紹介事業の実施、以上を新たな機能として求めた。サテライト型の母子生活支援施設の設置以外は、地域で生活する母子世帯、ひとり親世帯を対象とした就労支援的要素の強いものとなっている。

これまでの機能を拡大するかたちで設置が求められたサテライト型の母子生活支援施設については、「比較的緩やかな援助及び生活指導等により早期に自立が見込まれる者」を対象に、「原則、1年以内」の利用を想定していたことが厚生労働省雇用均等・児童家庭局による「小規模分園型（サテライト型）母子生活支援施設設置運営要綱」で確認できる。しかし、本体施設となる母子生活支援施設自体が減少傾向にあり、都道府県によっては数施設しか設置されていない自治体も多い。そのようななかでサテライト型の母子生活支援施設の設置はほとんど進んでおらず、「私たちのめざす母子生活支援施設（ビジョン）報告書」（２０１５年策定、後述）では、全国で８か所と報告されている。社会福祉法人全国社会福祉協議会・全国母子生活支援施設協議会（以下、全母協という）の調査でも、サテライトを実施している施設は、『平成28年度全国母子生活支援施設実態調査報告書』では回答のあった２２１施設中７施設（３・２％）、『平成30年度基礎調査報告書』では回答のあった２１３施設中６施設（２・８％）と、非常に少数にとどまっている。

「私たちのめざす母子生活支援施設（ビジョン）報告書」は、「母子家庭等自立支援対策大綱」において政策的に設置が望まれていたサテライト型母子生活支援施設について、「地域での生活に見守りや支援が必要ではあるが施設への入所を希望しない世帯、施設での集団生活になじめない世帯、父子世帯、困難な課題を抱えつつも入所に至らないひとり親世帯等への支援施策として有効」であると評価しつつも、「対象が本体施設の利用者に限られていること、利用期限が１年であること、暫定定員が設定されていること等」が整備を阻んでいると考えている。対象者や利用期限については実態に応じた「小規模分園型（サテライト型）母子生活支援施設設置運営要綱」の改正が必要であり、暫定定員の解決についてはまずもって本体施設の定員充足率の向上が喫緊の課題となっている。

母子世帯支援の方向性

母子生活支援施設では、1997年の児童福祉法改正により施設の役割に自立支援が加わり、さらに2004年の改正によってアフターケアの実施が付加された。このような動きを受けて全母協は、2007年4月に「全国母子生活支援施設協議会倫理綱領」（以下、倫理綱領という）を制定した。倫理綱領は「母と子および地域社会から信頼される施設として支援を行う」ために、「基本理念」「パートナーシップ」「自立支援」「人権侵害防止」「運営・資質の向上」「アフターケア」「地域協働」の7項目を定めていた。制定当初の内容は理念的なものであり、具体的にどのような支援をおこなっていくのかという点についてはかなり抽象的なものであった。この倫理綱領は2017年5月に改定され、「アフターケア」や「地域と協働」（「地域協働」から改定）についてては、以前に比べて具体的な内容に改められている。

2010年代に入ると母子生活支援施設に求められる役割や機能が、厚生労働省によって相次いで明文化された。

母子生活支援施設に名称が変更されて以降、施設がおこなう支援について最初に細かくふれたのは、2011年7月に発表された「社会的養護の課題と将来像」であった。ここでは、「母子生活支援施設の課題と将来像」として、表1の8項目についてどのように取り組むべきかその方向性が示された。

「社会的養護の課題と将来像」は、「社会的養護の施設には、これまで、保育所保育指針に相当するものが無いことから、平成23年中を目標に、各施設等種別ごとに、運営理念等を示す施設運営指針を策定する」ことを目標としていた。これを受けて母子生活支援施設における支援の内

表１　社会的養護の課題と将来像と母子生活支援施設運営指針（総論）

社会的養護の課題と将来像	母子生活支援施設運営指針（第Ｉ部 総論）
①母子生活支援施設の役割	①目的
②入所者支援の充実	②社会的養護の基本理念と原理
③職員配置の充実と支援技術の普及向上	③母子生活支援施設の役割と理念
④広域利用の確保	④利用対象
⑤子どもの学習支援の充実	⑤支援のあり方の基本
⑥母子生活支援施設の積極的な活用と適正配置	⑥母子生活支援施設の将来像
⑦公立施設における課題	
⑧児童相談所・婦人相談所との連携	

※「社会的養護の課題と将来像」、「母子生活支援施設運営指針」をもとに筆者作成。

容と運営に関する指針を定めたものが、２０１２年3月に発表された「母子生活支援施設運営指針」（以下、運営指針という）である。「社会的養護の課題と将来像」に示された8項目は、この運営指針の「第Ｉ部　総論」において表1の6項目に整理集約された。

そのうえで、「第Ⅱ部　各論」において、①支援、②自立支援計画・記録、③権利擁護、④事故防止と安全対策、⑤関係機関連携・地域支援、⑥職員の資質向上、⑦施設運営、以上の7項目について詳細な内容が定められた。さらに、２０１４年にはこの運営指針を解説する「母子生活支援施設運営ハンドブック」が発行されている。

社会的養護と母子生活支援施設

母子生活支援施設に求められる役割や機能が相次いで明文化された背景には、児童養護施設をはじめとする各児童福祉施設に家庭的な養護を求める政策的な動

図1 社会的養護の体系

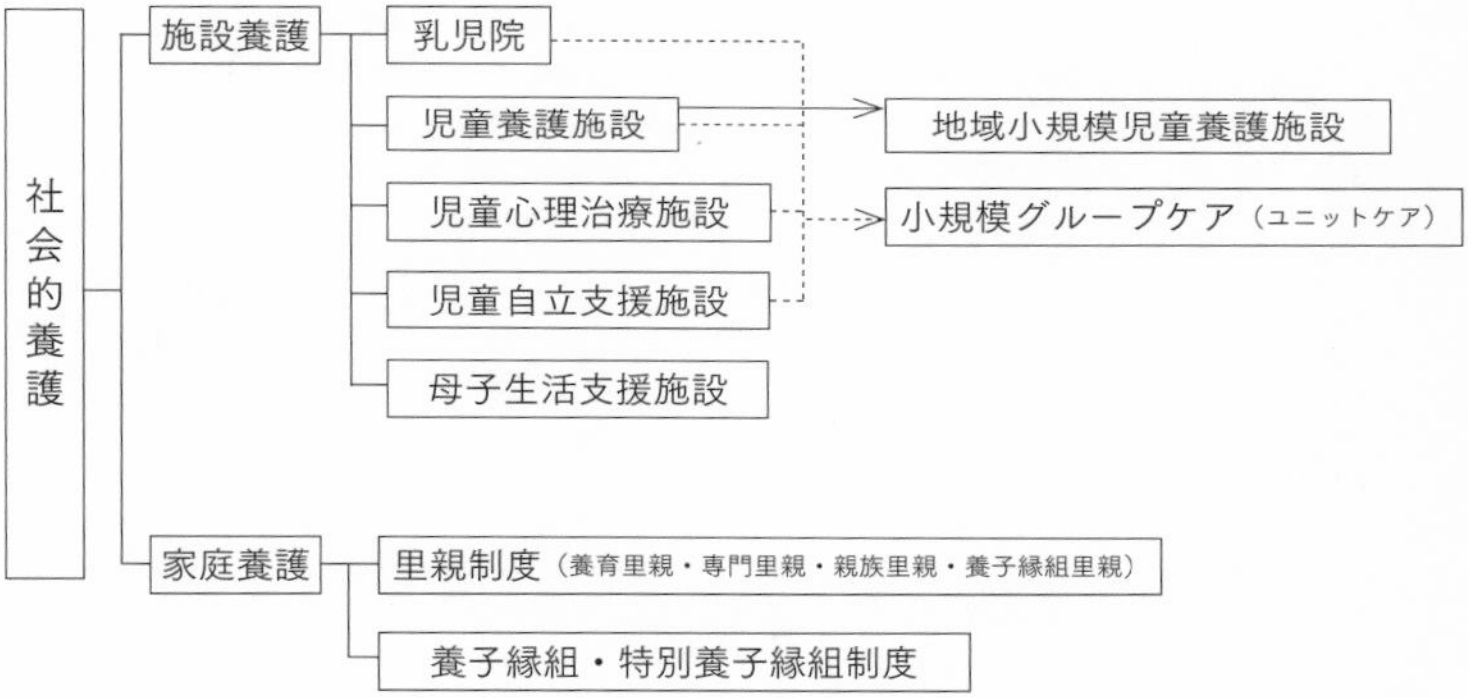

出典：武藤敦士（2020：34）。

きがあった。「社会的養護の課題と将来像」は社会的養護を、「保護者のない児童や、保護者に監護させることが適当でない児童を、公的責任で社会的に養育し、保護するとともに、養育に大きな困難を抱える家庭への支援を行うこと」と定義し、図1のようにその体系を施設養護と家庭養護の二つに分けて考えている。

「社会的養護の課題と将来像」が目指す社会的養護の方向は、施設養護をより小規模化、地域分散化して、家庭的な養育環境を今まで以上に整えるとともに、里親制度の活用などにより家庭養護の推進を図るというものであった。この点において、保護者とともに生活している母子生活支援施設は、社会的養護に求められる家庭的な環境をすでに備えていたといえる。さらに、社会的養護の対象として、DV被害母子の増加、被虐待児の増加が想定されたことは、母子生活支援施設が直面する近年の状況と合致するものであった。

2001年の「配偶者からの暴力の防止及び被害者の保護等に関する法律」（配偶者暴力防止法）施行以降、

図2 DV、虐待に関する相談件数等の推移

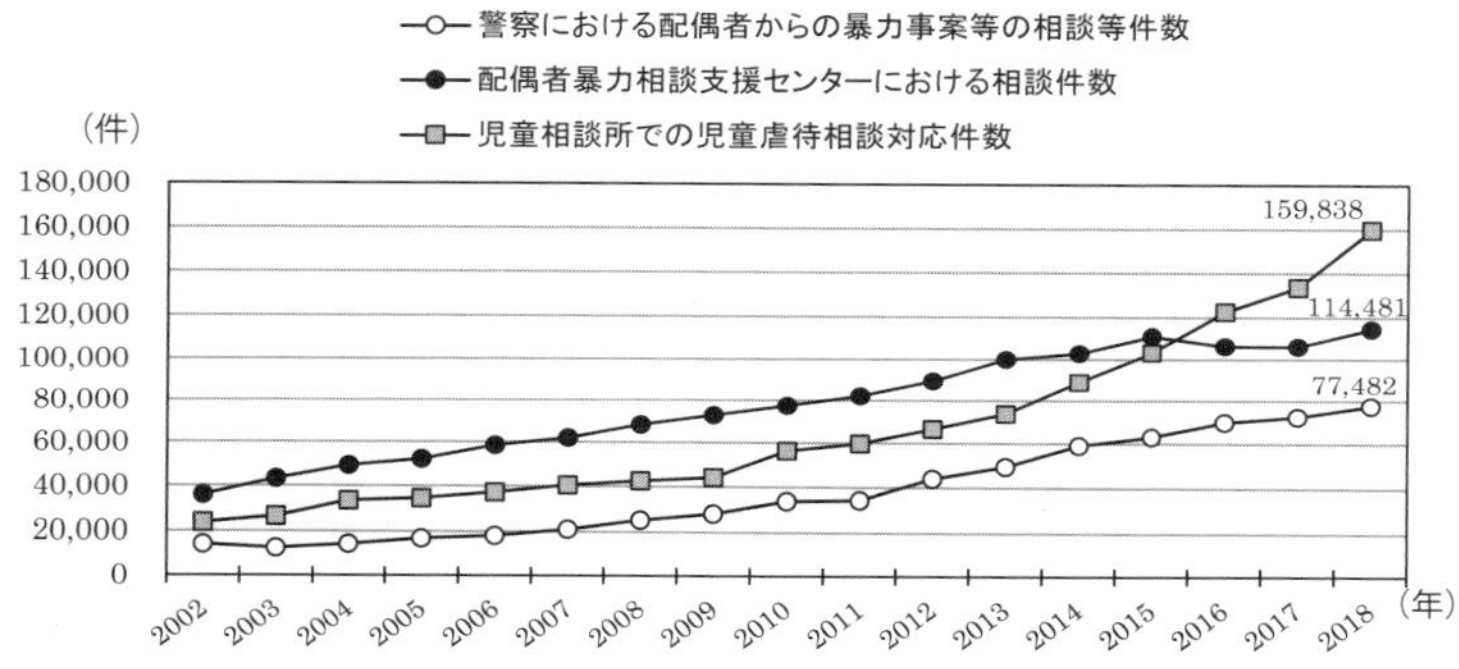

出典：内閣府、厚生労働省、警察庁のデータより筆者作成。

ＤＶに関する相談は図２のように増加傾向にある。加えて、２００４年には児童虐待防止法の改正により夫婦間のＤＶを子どもに目撃させることを「面前ＤＶ」として心理的虐待のひとつに位置づけたことから、児童虐待に関する相談件数も一層増加している。母子生活支援施設に入所する世帯も近年半数以上が何らかのＤＶ被害を受けた母親やその子どもであり、心理的なケアなどが今まで以上に求められている。

このように母子生活支援施設は、社会的養護を担う児童福祉施設のひとつとして、何らかの要因により生活に困窮する母子を保護し支援するという従来の機能を、時代の要請に応じて一層充実させていくこととなった。しかしこれは、政策的な期待の高まりによるものではなかった。「社会的養護の課題と将来像」が主たる対象として想定していたのは児童養護施設や乳児院といった子どもが単独で入所し生活する施設と、家庭養護としてその受け皿となる里親などであった。それを裏づけるように、「社会的養護の課題と将

来像」の制定に向けた取り組みの過程において、母子生活支援施設は当初、社会的養護を担う施設として想定されていなかった。現場（全母協）からの働きかけにより、その位置を手に入れることができたのである（中島尚美「社会的養護施設としての母子生活支援施設の存在意義に関する考察：社会的養護体制の構築過程にみる位置づけの分析をとおして」）。

「新しい社会的養育ビジョン」と母子生活支援施設

「社会的養護の課題と将来像」は、２０１７年8月に厚生労働省より発表された「新しい社会的養育ビジョン」によって全面的に見直されることとなった。この「新しい社会的養育ビジョン」では、「社会的養護の課題と将来像」が主たる対象として想定していた児童養護施設や乳児院について、かなり踏み込んだ改革案が示された。これは、２０１６年の児童福祉法改正にもとづくものであり、施設養護から家庭養護へと大きく舵を切る改革案であった。

内容をみると、家庭での養育を前面に押し出した改革であり、社会的養護のなかでも保護者と分離している場合を特に代替養育と呼び、その部分への変革を促すものであることがわかる。その一例として、児童相談所による一時保護の見直し（緊急一時保護の短期化、アセスメント一時保護としての里親への委託）や、「社会的養護の課題と将来像」ではほとんど触れられていなかった特別養子縁組の活用などがうたわれていた。そのために、里親や特別養子縁組を充実する一方で、従来の施設養護については代替的、限定的、一時的、短期的なものにするとしたことから、児童養護施設や乳児院など施設養護の現場に少なからず混乱を招くこととなった。

「新しい社会的養育ビジョン」は社会的養護を、「サービスの開始と終了に行政機関が関与し、子どもに確実に支援を届けるサービス形態」と定義し、「母子生活支援施設もそのサービスの開始や終了には行政機関が関与して入所し、生活全般に当たる支援を行っていることから社会的養護に含める」としている。しかし、「新しい社会的養育ビジョン」が母子生活支援施設に何を期待しているのか、どのような変革を求めているのかをみていくと、その記述は驚くほど少ない。そのなかで、もっとも母子生活支援施設についてふれている部分は次のとおりである。

　現行の母子生活支援施設はＤＶからの保護が重要な役目となり、その結果、それ以外の母子の入所が制限されるなどの問題も生じている。母子生活支援施設は、地域に開かれた施設として、妊娠期から産前産後のケアや親へのペアレンティング教育や親子関係再構築など専門的なケアを提供できるなど多様なニーズに対応できる機関となることが求められる。（「新しい社会的養育ビジョン」34頁）

以上の記述以外に「新しい社会的養育ビジョン」が母子生活支援施設についてふれているのは、妊娠期から出産後の母子を継続的に支援する社会的養護体制のひとつとして、サテライト型母子生活支援施設を位置づけているところだけである。より家庭的な養育を目指し、里親や特別養子縁組の利用が検討されるなかで、家庭という形態を維持し養育できるはずの母子生活支援施設に対する期待が極めて薄いように感じられる。

施設を区分することの是非とドイツの事例

「新しい社会的養育ビジョン」は今後母子生活支援施設が取り組むべき課題として、国は２０１９年度に「母子生活支援施設に関し、地域に開かれた施設とＤＶ対応の閉鎖した施設の区分を明確にして混在しない在り方を提示」すると述べている。しかし、この点について現在まで国からの具体的な発信は確認できない。

入所者の状況に応じて施設を区分する考え方は、１９７６年に発表された副田義也らによる通称「副田レポート」など、母子寮時代にも見受けられた。母子生活支援施設に名称変更されて以降も、ＤＶ被害世帯用母子生活支援施設とそれ以外の母子を対象とした母子生活支援施設を区分して運用することを提案する研究者は存在した。しかし、この件について研究と実践のどちらにおいても具体的な議論の進展はみられない。

入所者の状況に応じて利用する施設を区分している一例として、ドイツの母子支援施設体系があげられる。筆者の調査ではミュンヘン市の場合、ＤＶ被害を受けた母子世帯はＤＶ支援を専門とする「女性の家（Frauen Haus）」を利用していた。一方で、貧困等を理由に地域で生活できなくなった母子世帯については、就労や地域移行を支援する「母と子の家（Haus für Mutter und Kind）」を利用していた。これ以外にも、近年日本の母子生活支援施設で増加傾向にある精神疾患等なんらかの障害のある母親や依存症の母親の場合、それぞれに応じた施設を利用していることを確認している。

「女性の家（Frauen Haus）」と「母と子の家（Haus für Mutter und Kind）」はそれぞれ独立して運営されているが、ＤＶ被害の恐れがなくなった「女性の家（Frauen Haus）」の利用世帯が、地域生活の実現に向けて「母と子の家（Haus für Mutter und Kind）」に移る場合もある。「女性の家（Frauen Haus）」はその特性上、日本の母子生活支援施設と同様に比較的高いセキュリティ体制がとられているが、「母と子の家（Haus für Mutter und Kind）」は門限や外出の制約がなく、地域の集合住宅で暮らす世帯と同じような状況で生活できるようになっている。日本の母子生活支援施設では門限等の規制に対する入所者からの不満を耳にすることがあるが、ドイツの場合は専門分化することによりこれらの問題が発生することも回避されている。

施設を専門分化し運営することで、施設の専門性をより強化することも可能である。日本の母子生活支援施設では職員が自らの専門性を超えて、司法、労働、教育、福祉、医療等さまざまな領域の支援に携わらなければならない状態に陥っている。本来であれば外部の専門機関との協働のなかで解決していくべき問題を、施設職員の努力のみで解決しようとするあまり機能不全に陥ったり、結果的に入所者の不利益につながるケースもある。ドイツのように支援する対象が限定されれば支援の方向性も明確化し、それに応じた職員の専門性や資質の向上も容易となり、機能的な支援が可能となる。

国家の体制や行政組織のあり方をはじめ、政策や制度、宗教や文化など相違点も多いことから、日本とドイツの状況を単純に比較はできないが、今後、これらの事例を参考に、入所者の状況に応じて利用する施設を区分することの是非について、検討していく必要があるだろう。

「私たちのめざす母子生活支援施設報告書」における支援の特徴

「新しい社会的養育ビジョン」は児童養護施設や乳児院、児童相談所のあり方に大きな変革を求めた。一方で、母子生活支援施設に求められる役割や機能は、「社会的養護の課題と将来像」とそれにもとづいて策定された「母子生活支援施設運営指針」を踏襲している。この点について、母子生活支援施設はあるべき姿を政策的に押しつけられることなく、自分たち自身で将来像を描き実現する猶予が与えられたととらえることもできる。そこで検討されるのが、２０１５年5月に全母協が策定した「私たちのめざす母子生活支援施設（ビジョン）報告書」（以下、全母協ビジョンという）である。

全母協ビジョンは、「社会的養護の課題と将来像」から「母子生活支援施設運営ハンドブック」に至る一連の政策的な動きを、「母子生活支援施設が社会的養護を担う児童福祉施設として改めて位置付けられ、人員配置の引上げ等、児童福祉施設最低基準の改正に至ったことは前進だった」と評価している。一方で、これらを策定する過程においておこなってきた全母協の主張・要望が、「将来的に母子生活支援施設が担うべき役割や支援のあり方を踏まえたもの」ではなかったと反省し、「母子世帯のニーズに立ち返り、社会環境の変化に見合った母子生活支援施設のグランドデザインを描く必要」性を背景に全母協ビジョンを策定したと説明している。全母協ビジョンには母子生活支援施設の近未来像が示されており、今後は全母協ビジョンの実現を目指して施設を運営していくことになる。

全母協ビジョンは母子生活支援施設に、支援の専門性を高めインケアの充実を図ることに加え、地域で生活するひとり親世帯への支援をおこなうアウトリーチの拠点となることを求めている。

全母協ビジョンはインケアを、入所時のアドミッションケア、入所中のインケア、退所時のリービングケアを含む広義のインケアと定義している。インケアを充実させるには、当事者と支援者との信頼関係の構築が不可欠である。筆者はこの信頼関係には、支援者に対する人格的な信頼だけでなく、インケアを通じて醸成される支援の専門性に対する信頼も含まれると考えている。そのためにも、全母協ビジョンが目指す支援の専門性を高める取り組みは、信頼関係の構築において重要な意味をもつ。

インケアの充実は入所者の抱える生活問題を解決・改善するだけでなく、入所者自身の問題解決能力を高め退所後の地域生活に備えることにつながる。退所後に発生する問題に対して当事者自身が主体的に取り組み、解決していく可能性は高くなり、必然的にアフターケアにかかる負担は減ることが予想される。

全母協ビジョンにおけるインケアとアフターケアの関係は、図3のとおりである。全母協ビジョンもアフターケアを成功させるためにはインケアにおける信頼関係の構築が不可欠であることを指摘しており、アフターケアの充実が地域ニーズの把握につながり、アウトリーチが地域の

図3 全母協ビジョンにおけるインケアとアフターケアの関係

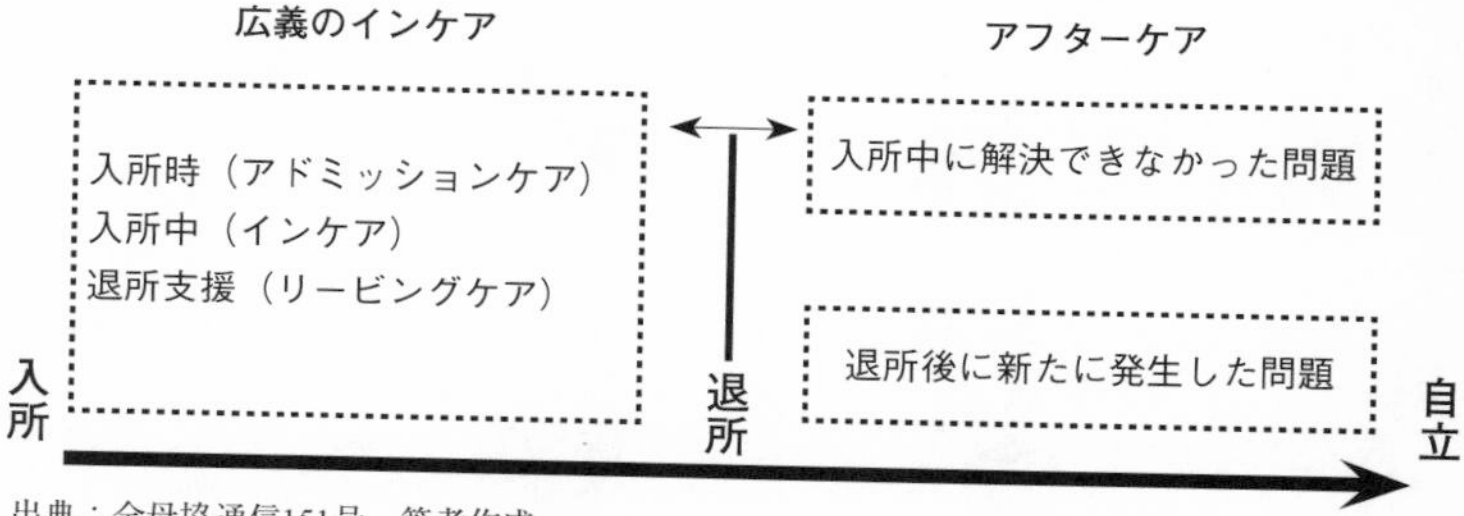

出典：全母協通信151号、筆者作成。

拠点事業につながっていくと考えている。

全母協ビジョンではアウトリーチを狭義と広義にわけて定義している。狭義のアウトリーチとは、アフターケアで重視される、支援者が当事者の生活する地域に出向いておこなう支援をさす。一方で、広義のアウトリーチは、「①ニーズの掘り起こし、②情報提供、③サービス提供、④地域づくり等の過程における専門機関における積極的な取り組みを含むもの」と定義されている。これは全母協ビジョンが目指す地域支援の拠点機能として求められるものとしてとらえることができる。

母子生活支援施設に求められる地域支援は、「母子家庭等自立支援対策大綱」によって期待されていた機能であり、「全国母子生活支援施設協議会倫理綱領」にも「地域と協働」として定められている。「母子生活支援施設運営指針」の「第Ⅱ部　各論」にも、「関係機関連携・地域支援」として求められている機能である。

全母協ビジョンではインケアの充実を、中期的ビジョンとして位置づけている。一方で、地域におけるひとり親支援の拠点としての広義のアウトリーチの実施は長期的ビジョンとして位置づけており、中期的な取り組みによるインケアの充実のうえに成り立つものであると考えている。そのため、全母協においては現在、インケアの充実に向けた議論が盛んにおこなわれているところである。

母子生活支援施設と暫定定員問題

全母協ビジョンが中期的な取り組みとして、インケアの充実とともに重視しているのが、筆者が冒頭で指摘した母子生活支援施設の社会的な認知度に関する問題である。全母協ビジョンは、「中期ビジョンとして社会的認知度を高めつつ、インケアの充実に努力することは表裏一体の使命」として、この問題をとらえている。入所者に対する支援の充実に先立って、施設の定員充足率の低下という問題が突きつけられているからである。

全母協は施設を運営する当事者で組織された団体であるからこそ、母子寮時代よりたびたび自らの施設・組織を辛辣に批判する姿がみられた。全母協ビジョンにおいても施設の認知度の問題について、「啓発活動に取り組まない施設が圧倒的に多い」「地域に母子生活支援施設があって良かったと、言われるためのスタートの時点からして、不十分」など、厳しい言葉が並んでいる。施設数は減少傾向にあり、さらに定員充足率も低下するなかで、全母協ビジョンにおけるこれらの言葉は全母協自身の覚悟のあらわれととらえることができる。

問題は暫定定員である。暫定定員とは認可定員数と実際の措置世帯数（現員）の「開差」によって発生するものであり、厚生労働省が定めた算式によって算出された世帯数が認可定員数に満たない場合に設定される定員数のことである。暫定定員が設定されると年度当初から認可定員数に応じて支弁されていた措置費は、暫定定員数に応じて返還しなければならなくなり、施設運営に大きな影響を与える。暫定定員の問題は長く母子生活支援施設を悩ませてきた。今日においても緊急かつ重要な取り組み課題である。全母協は「母子生活支援施設における暫定定員問題に関する資料集」(以下、資料集という)においてこの問題を、「特定の施設や地域の問題ではなく、全国の施設が力を合わせて解決していくべき大きな問題」ととらえている。暫定定員の一番の問題は措置費の返還である。施設運営にかかる費用の減額は、人員の確保とそれによる支援の質・量の低下に直結している。資料集でも暫定定員が設定されると「職員配置数の減員、措置費の減額等施設の存亡に関わる『負の連鎖』が始まり、支援力の低下等」につながることを危惧している。暫定定員が設定されると、全母協ビジョンが中期的ビジョンとして位置づけていたインケアの充実の実現も一層困難になる。

暫定定員問題を解決するためには、入所者を増やし定員充足率を高めるしかない。そのために、母子生活支援施設の社会的な認知度を上げる取り組みは、もはや不可避である。ＤＶ被害世帯が増加するなかで、施設のセキュリティを保ちつつも地域社会に積極的に発信していく方法を考えていかなければならない。同時に、「入所してよかった」と思える施設づくりが欠かせない。インケアの充実とは支援に関する知識や技術の向上にとどまらない。入所者が安心して生活できる生活環境をどう整えていくのか、入所者とともに考える姿勢が求められている。筆者は現場で働いていた当時、常々「当事者不在」を感じていた。当事者が母子生活支援施設の今後のあり方に関する議論に参画することは、決して無駄ではないと考えている。母子生活支援施設の課題や将来像を、当事者とともに考えることができる時代の到来を期待したい。

職員に求められる福祉観

筆者が現場で感じていた「当事者不在」のひとつに、就労支援における母親のニーズ把握とアセスメントの不足、職員による社会政策、社会福祉に対する理解の問題がある。

母子世帯を支援するうえで、まずもって施設職員が共有しておかなければならない政策的な課題は、母子世帯の貧困問題である。「平成28年度全国ひとり親世帯等調査結果報告」では、母子世帯の母親の8割が何らかの形態で就労しているが、そのうち正規の職員・従業員として働いているのは4割程度である。就労している母親の半数以上が非正規雇用労働者であった。そのため、母親自身の平均年間就労収入は200万円にとどまっている。2016年の国民生活基礎調査でも母子世帯の稼働所得は213・9万円となっており、児童のいる世帯（いわゆるふたり親世帯）の稼働所得646・7万円の3割程度である。2019年の国民生活基礎調査でも母子世帯の稼働所得は231・1万円となっており、児童のいる世帯の稼働所得686・8万円の3割程度にとどまっている。所得額自体は若干上昇しているものの、相変わらず母子世帯は子育て世帯のなかで相対的に低所得状態におかれている。そして、その多くがワーキング・プア状態に陥っている。

母子世帯の母親の多くがワーキング・プア状態に陥っていることを前提に支援の方向性を考えた場合、母親に対する過度な就労支援は避けるべきである。支援に先立って母親の「働きたい」というニーズが存在することが大切であることは言うまでもないが、ニーズを確認したとしても母親の能力や健康状態、母子関係や子どもの状態等を慎重にアセスメントし支援する必要がある。特に、入所初期の母親は面接等で就労による経済的自立と、それによる早期退所を目標に掲げ意気込むことが多いが、実際には入所後に新たな生活問題が噴出し日常の生活をまずもって支援しなければならないケースも少なくない。さらに、筆者が実施した調査からは、入所初期に意気込んで頑張っても就労収入はそれほど上昇せず、結果的に生活保護水準以下の生活しかできない世帯が圧倒的に多いことが確認されている。

以上のことをふまえ、さらに昨今の入所者に占める障害等なんらかの健康上の問題を抱えた母親の増加を考えた場合、世帯生活の維持・継続を前提とした支援は、児童扶養手当や生活保護を有効に活用する方向で検討されるべきである。特に、貧困の世代的再生産（貧困の連鎖）を解決・改善していくうえで取り上げられる子どもの機会の不平等に関する問題、そのなかでも教育機会の不平等を緩和するうえでこれらの制度の有効活用は欠かせない。制度・サービスの活用を支援する職員の知識・技術はいうまでもなく、社会福祉をどのように理解しているか、貧困問題をどのようにとらえているかという専門職としての資質が問われるところである。社会政策が母子世帯の母親の就労支援を強化したからそれに従う、生活保護の引き締めをおこなったのでそれに従う、そのような支援では入所者との関係は悪化し、専門性に対する信頼を得ることは難しくなってしまう。政策の問題点を社会科学的にとらえ、当事者である母子にわかりやすく説明し課題を共有していくことにより、協働関係が築けるのである。

施設のセールスポイントは何か

そのうえで、母子生活支援施設の職員には今後、自らの施設のセールスポイントは何かをぜひ明確化していただきたいと期待している。おそらくどの職員も、母子生活支援施設がどのようなところかは説明できるはずである。しかし、近隣の、もしくは県内の、あるいは全国的にみて、他の母子生活支援施設とどこが違うのか、どこが優れているのか、どの分野を得意としているのか説明できるだろうか。地域で生活している母子世帯がどのような生活問題を抱え、どのような支援を必要としているのか、それに対して自身が勤務する母子生活支援施設を利用すれば、何をどのように解決できるか支援の全体像を具体的に描けているだろうか。

全母協ビジョンは理想や理念ではなく、今後各母子生活支援施設が目指す標準的な施設の姿を明文化したものである。全母協ビジョンが「母子生活支援施設の近未来像を提示したに過ぎません」というように、各施設はビジョンが目指すべき水準になるべく早期に到達し、そのうえで地域の実情に応じた個別性を身に付けていく必要がある。入所連絡を待つのではなく、職員自ら施設のセールスポイントを福祉事務所や児童相談所に出向いて説明し、積極的な利用につなげていくことができれば、状況は少しずつ改善していくであろう。福祉事務所や児童相談所の職員が、自身が勤務する母子生活支援施設の状況を正しく把握し役割や機能を正確に理解していると感じている職員は、それほど多くはないはずである。

本章では母子世帯支援と社会的養護の両面から母子生活支援施設が政策上どのように位置づけられているかをみてきたが、いずれも母子生活支援施設を積極的に活用しようとする意思は確認できなかった。現場で働く職員の多くは、母子生活支援施設が現代の日本に不要な施設であるとは思っていないであろう。そうであるならば、この結果は非常に悔しいものであり、到底看過できるものではないはずである。なぜこのような結果になるのかを考えた場合、やはり施設の認知度の低さ、施設の役割や機能に対する理解が進んでいないことが指摘できるだろう。母子生活支援施設の定員充足率を高め暫定定員問題を解消し、そのうえで広義のアウトリーチを早期に実現し、サテライト型の母子生活支援施設の可能性を追求していくためにも、職員一人ひとりが危機感をもって自らの専門性を高め、その専門性を外部に発信することが求められている。

母子生活支援施設を知ってもらう取り組みを

母子生活支援施設の社会的な認知度の低さは、政策的な位置づけとも無関係ではない。本章で確認した限り、母子生活支援施設の利用は母子支援施策のなかでも、社会的養護施策のなかでも主たる検討課題となっていない。まったく触れられていないわけではないが、利用に関する積極的な検討がおこなわれているわけでもない。

社会的養護において改革の主たる対象となった児童養護施設や乳児院に共通するのは、被虐待児をはじめとする対象児童の増加である。一方で、母子生活支援施設は入所者が減少し多くの施設で暫定定員が設定されている。政策的に急を要する状態にはないのである。そして、このような扱いは今後も続くであろう。なぜなら、児童福祉分野に限らず、施設入所者を増やす方向で検討される政策は、脱施設化を指向する現在の潮流のなかで今後も期待できないからである。つまり、母子生活支援施設の社会的な認知度を高め入所者を増やす取り組みに、政策的な後押しは期待できないということである。行政に対する継続的な働きかけは必要であるが、まずは自分たち自身で取り組んでいくしかない。

母子生活支援施設の社会的な認知度を上げ必要な世帯の入所を促していくには、母親が支援を求めて相談機関を訪れ、初めて母子生活支援施設の存在を知るという流れではなく、母子生活支援施設の利用を求めて相談機関を訪問する流れを生み出していかなければならない。そのために、母子生活支援施設の利用対象となる母子の実態に応じた広報活動が必要となる。

筆者が現場で働いていた10年ほど前、ＤＶ被害に遭った母親がフェイスブック（Facebook）で自らの居場所を発信していたことがあった。これに気づいたのは施設長やベテラン職員ではなく、若い職員であった。しかし、今やフェイスブックは中高年の使用するツールへと変化し、若い世代で利用している者はわずかである。ツイッター（Twitter）やインスタグラム（Instagram）、ユーチューブ（YouTube）、さらにはティックトック（TikTok）など、若い世代が利用するツールは時代とともに急速に移り変わっている。当事者となる母親たちの世代と文化に応じたツールを用いて発信していかなければ、必要な情報は十分に届かないであろう。母子生活支援施設という施設の存在自体が認知されて初めて、母子生活支援施設が開設するホームページにつながる。全母協ビジョンでもアウトリーチについては細かく検討されているが、このＷｅｂ上のアウトリーチについてはふれられていない。

また、福祉専門職のなかでも母子生活支援施設の認知度はそれほど高くはない。母子生活支援施設の利用は福祉事務所の管轄下にあることから、児童相談所の職員でも母子生活支援施設の特性を正しく理解していないことがある。大学等専門職養成機関において、母子生活支援施設について学ぶ機会は極めて短時間である。大学で教鞭をとっていて感じることであるが、児童養護施設や乳児院に比べて書籍や資料の数だけでなく、視聴覚教材の数も圧倒的に少ない（というか、母子生活支援施設に関する適当な視聴覚教材は見当たらない）。学生が母子生活支援施設にふれる機会は質・量ともに少なく、施設数が少ないため現場との接点も限定的である。視聴覚教材の制作や専門職養成機関と現場の接点を増やす取り組みは、今後の検討課題となろう。

最後に、冒頭でドラマを引き合いに出したので、少しドラマの話をしておきたい。ＴＢＳが２０１３年に制作した薬師丸ひろ子主演のドラマ「こうのとりのゆりかご」[*1]は、赤ちゃんポストについて広く啓発する契機となり、その後にいくつかのドキュメンタリー番組がＮＨＫなどで制作されることとなった。中京テレビが２０１４年から２０１８年にかけて放映した室井滋主演のドラマ「マザーズ」[*2]は、特別養子縁組制度について啓発する有効な手段であった。並行してドキュメンタリー番組も制作されていたので、教材としても使いやすかった。いずれも一話完結のドラマであり、マスコミを上手く利用した例である。母子生活支援施設もこのような事例を参考に、マスコミに働きかける方法もあるだろう。ただし、２０１４年に日本テレビが放映した児童養護施設を舞台にした連続ドラマ「明日、ママがいない」[*3]のように、誤った情報が流されないように注意したい。

【注】

＊１　https://www.tbs.co.jp/tbs-ch/item/d2551/

＊２　https://www.ctv.co.jp/mothers/

＊３　https://www.ntv.co.jp/ashitamama/　誤った情報に対する抗議の内容については、全国児童養護施設協議会が会長名で日本テレビの社長に宛てた抗議文（http://www.zenyokyo.gr.jp/whatsnew/140121kougi.pdf）、および日本で唯一赤ちゃんポストを設置している医療法人聖粒会慈恵病院の見解（https://jikei-hp.or.jp/tv_mama/）を参照のこと。

【参考文献】

新たな社会的養育の在り方に関する検討会「新しい社会的養育ビジョン」（https://www.mhlw.go.jp/file/05-Shingikai-11901000-Koyoukintoujidoukateikyoku-Soumuka/0000173888.pdf）

警察庁「平成30年におけるストーカー事案及び配偶者からの暴力事案等への対応状況について」（https://www.npa.go.jp/safetylife/seianki/stalker/H30taioujoukyou.pdf）

厚生労働省「人口動態統計特殊報告」（https://www.mhlw.go.jp/toukei/list/list58-60.html）

厚生労働省「国民生活基礎調査」（https://www.mhlw.go.jp/toukei/list/20-21.html）

厚生労働省「全国ひとり親世帯等調査」（https://www.mhlw.go.jp/toukei/list/86-1.html）

厚生労働省「母子家庭等自立支援対策大綱」（https://www.mhlw.go.jp/topics/2002/03/tp0307-3.html）

厚生労働省「令和元年度 児童相談所での児童虐待相談対応件数〈速報値〉」（https://www.mhlw.go.jp/content/000696156.pdf）

厚生労働省雇用均等・児童家庭局長通知「母子生活支援施設運営指針」（https://www.mhlw.go.jp/bunya/kodomo/syakaiteki_yougo/dl/yougo_genjou_08.pdf）

厚生労働省雇用均等・児童家庭局家庭福祉課「母子生活支援施設運営ハンドブック」（https://www.mhlw.go.jp/file/06-Seisakujouhou-11900000-Koyoukintoujidoukateikyoku/0000080110.pdf）

厚生労働省子ども家庭局家庭福祉課「ひとり親家庭等の支援について」（https://www.mhlw.go.jp/content/000619764.pdf）

児童養護施設等の社会的養護の課題に関する検討委員会・社会保障審議会児童部会社会的養護専門委員会とりまとめ「社会的養護の課題と将来像」（https://www.mhlw.go.jp/bunya/kodomo/syakaiteki_yougo/dl/08.pdf）

社会福祉法人全国社会福祉協議会・全国母子生活支援施設協議会「全国母子生活支援施設協議会倫理綱領」（http://www.zenbokyou.jp/works/general_plan/）

社会福祉法人全国社会福祉協議会・全国母子生活支援施設協議会『平成28年度全国母子生活支援施設実態調査報告書』、２０１７年

社会福祉法人全国社会福祉協議会・全国母子生活支援施設協議会『平成30年度基礎調査報告書』、２０１９年

社会福祉法人全国社会福祉協議会・全国母子生活支援施設協議会・暫定定員問題に関する検討委

員会「母子生活支援施設における暫定定員問題に関する資料集」（http://www.zenbokyou.jp/works/summary/）
社会福祉法人全国社会福祉協議会・全国母子生活支援施設協議会・私たちのめざす母子生活支援施設（ビジョン）策定特別委員会「私たちのめざす母子生活支援施設（ビジョン）報告書」（http://www.zenbokyou.jp/works/summary/）
全国母子生活支援施設協議会『全母協通信』（１５１）、２０２１年
総務省統計局「労働力調査」（https://www.stat.go.jp/data/roudou/index.html）
内閣府男女共同参画局「配偶者暴力相談支援センターの相談件数」（https://www.gender.go.jp/policy/no_violence/e-vaw/data/01.html）
中島尚美「社会的養護施設としての母子生活支援施設の存在意義に関する考察：社会的養護体制の構築過程にみる位置づけの分析をとおして」（『生活科学研究誌』（14）、大阪市立大学大学院生活科学研究科・生活科学部、２０１５年）
武藤敦士『母子生活支援施設の現状と課題』みらい、２０２０年

8 もうひとつの「母親規範」を求めて

横山登志子

そもそもの出会いは、ある研修会で「ソーシャルワークの面接技法」について話したあと、実習でお世話になっている母子生活支援施設の職員の方から入所母子の相談をされたことにはじまる。困った様子のその方を目の前にしてうやむやにすることもできず「一度、会ってみましょうか」と言ってしまった。私はそれまで、ソーシャルワークを専門にしながらも領域としては精神保健福祉や医療福祉での家族支援を主な専門としていた。

研修の後、面接のイメージをもつために母子生活支援施設の支援事例を手元の文献でみてみることにした。すると驚くことに、「ケースワークの母」とされるリッチモンドの時代に帰ったような事例ばかりで、まるでタイムスリップするような高揚感だった。もちろん、時代背景や生活状況は大きく異なる。しかし、女性と子ども、貧困、病気や障害などのキーワードは100年前と共通していた。エヴァ・フェダー・キテイが述べるように「明らかに、福祉は貧困問題であるだけでなく、女性問題」である（キティ2010）。私はこの問題意識に強く惹かれていった。

このようにして「母親規範」をめぐる支援現場での経験と、水面下にとどめていた私の個人的な物語が並行して動きはじめた。

職員から相談を受けた母子支援では、当然のことながら「ソーシャルワークの面接技法」が功を奏して、きれいに問題が解決されましたなんていうことはない。もちろん面接技法も各種の支援方法も、基本的な構えとして重要である。しかし、それよりもその母子が抱えている問題や背景、歴史を前にして、悩みつつ、葛藤しつつ、押したり引いたり、良かったり悪かったりを経験して、その母子や職員たちと共に大事なことを見出していくプロセス自体に意味があったように思う。

そのプロセスをいくつもの事例で繰り返すなかで、ようやくぼんやりとみえてきた「とても大事なこと」が、本章でとりあげる「母親規範」の問題である。

モヤモヤの正体

依頼を受けて、非常勤カウンセラーとして子どもへのネグレクトや暴言が顕著にみられる母との面接を重ねるようになってわかってきたのは、その母が「男なんだからこのキビシイ社会のなかを自分で稼いで生きて行かないといけない」「私が死んでも生きて行けるようになんでもできるようになってほしい」と強く思っていることだった。特に長男への風当たりは相当なものだった。

母には、器質的な要因を疑わせるような硬直した思考（完全思考）があり、スパルタ的な教育観から子どもを追い詰めているように思われた。生い立ちを聞いていくと、親のアルコール問題やジェンダー差別が大きな影響を与えているらしいこともみえてきた。頑なさと素直さを携えつつ、母は不器用なまでに「母として」子どもにむかっていたのである。

他方、母子にさまざまな生活支援を行い、子どもの変化を感じている職員から「お母さんさえ変われば子どもはよくなる」「お母さんが問題」という声も頻繁に聞いた。私はその言葉に押されながらも「そうですよね。ホントに」とあいまいな同意をしつつ、そう言い切れないモヤモヤがずっと残っていた。

モヤモヤは、実践の現場において「考えるべき大事なことがある」という重要なサインである。また、ある種の身体感覚のために見過ごすことができず、少しずつ大きくなったりもする。なんとかしようとして、人に話してみたり、考えたりするようになって、正体がみえてきた。

そしてようやく、職員や自分のなかにある「母親なんだからこうあるべき」という言い分に、母が子どもに対して行使しているパワーと同じ種類のパワーを感じたモヤモヤだということがわかった。つまり支配と抑圧が、入れ子状に生じていた。加えて、そのパワーは「母親規範」をめぐって強い感情とともにエネルギー投入されていることにも関心をもった。

支援が行き詰まりそうになりながら、時に母の立場に身を置き、時に職員の立場から考え、そして観察者の立場からもっと広い視野で問いをめぐらせながら、三者の微妙な境界線上をバランス悪く歩き、モヤモヤをスッキリさせようとした。加えて、その思考にからんでどうしても切り離すことができない自らの「母親」をめぐる経験や感情が浮上し、息苦しくもあり、おもしろくもあった。

そして同様の支援事例の経験を重ねて、今こう考えている。

「母親規範（母親とはこうあるべき）が特定の個人にむけられたとき、それは時に暴力である」

フェミニズムやジェンダーの視点からすると、当たり前のことに行きついたということなのかもしれないが、多くの現実——特に子育て支援や児童福祉、母子福祉、障がい児の支援、学校教育など——は、母への「みえない抑圧だらけ」である。そして、その抑圧ときっぱり手を切ったと言い切れない、わたしたち一人ひとりの身に沁みついた「母親規範」も、のど元にささった骨のように存在している。

本章ではミヤコさんと子どもたちの事例を紹介しながら、「母親規範」について考えてみよう。この事例は、冒頭の事例とは異なるが、実際の支援事例をもとに加工を条件に本人から承諾を得た事例であり、過去に報告（横山２０１８）したものである。今回は、カウンセラーとしての筆者が何を考えながら支援経過を経験したのかを書き加え、「母親規範」をめぐる経験の多層性に迫ってみたい。

ミヤコさんと子どもたち

ミヤコさん（仮名）は夫からの暴力から逃げてきた母子で、30歳代の母である。3歳児、4歳児の女児との3人家族である。ミヤコさんは元夫からの暴力による支配のなか、ふたりの子を育てながら派遣の仕事を続けてきたが、ある日、夫からの激しい叱責と顔面への暴力を受けたことから警察に助けを求め、その紹介で子どもを連れての緊急一時保護となった。数週間後には母親の希望もあり母子生活支援施設に入所となっている。

母の成育歴には家族間の問題や生活困難がみられる。母の実父（子どもからみると母方祖父）は季節によって収入変動があり親戚から多額の借金をしていた。母は「（自分の）父から母へのDVがあった」と語り、実家には日常的に身体的暴力があった。母は施設入所当初、両親の話になるたび幾度も「父をうらんでいる」と言葉にしている。母の実母（子どもからみると母方祖母）は、もともと身体的に虚弱だったことに加え、DVの影響もあったためか、うつ病も抱えていた。精神科病院に通院をしていたが母が中学生の頃に亡くなっている。母には兄がひとりいるが、母方祖父や母との縁をほとんど切っている。母が施設入所した時点では、母方祖父は細々と仕事を続けながら、ひとりで暮らしており電話は可能であった。

この事例は、約3年の支援を行ったが、最終的には母子分離となっている。しかし、母と職員が母子分離にむけて前向きに判断を共有することができた点で意義深い事例であった。支援したのは母子支援員、少年指導員、保育士、非常勤カウンセラーである。筆者は非常勤カウンセラー（全5名）のひとりとして支援を担い、左記の情報はケース記録やカウンセリング記録等をもとにまとめたものである。支援過程を時期区分ごとにみていこう。

施設入所後、裁判と並行した不安定な生活（2年2か月）

入所当初にはすでに、母が子どもたちの暴言暴挙に打ちのめされた様子であった。子どもたちが「はさみで切ってやる」「死んでしまえ」と言ってつばを吐くなどの行動がみられているためだった。曜日ごとに勤務する私たちカウンセラーは、共通して、子どもたちの否定的発言が不安の裏返しであること、暴力的だった夫（子どもからすると父）の言動をまねていることを伝え、母には脅しや不安を与える叱責をしないように助言した。母は食事や片付けなど細かい点まで子どもたちに正しい行動を要求して叱責を行うため、子どもたちはそれぞれ互いの出方をみながら、交代で母を困らせるような行動をとっていた。

子どもたちは保育園を転園し、母は休職の手続きをとって新たな生活をはじめたが、母は入所以来、緊張性頭痛や不眠、食欲不振もあったため精神科クリニックに受診し、うつ病との診断を受けている。

母子間では、入所当初からささいなこと、たとえば夕食時、最初にごはんにふりかけをふってくれなかったなどで再現される悪循環のパターンが日々繰り返されており、ほぼ毎日、双方の怒鳴り声や子どもの泣き声が響いていた。子どもたちは母に「おまえ早くこっちこい」「いいかげんにしろ」「今すぐだっこしろ」などの要求をしており、ＤＶ被害の影響を疑わずにはいられない状況であった。職員やカウンセラーはこのような混乱を極めた状況の居室へ入り、母子間の仲介を行いながら食事・風呂等の生活面の生活介入を頻繁に行っていた。

母との面談では、子どもたちが身につけた「相手をいいなりにしてもいい」という暗黙のルールにはノーを示すこと、母のクールダウンの方法、子どもたちが上手にできている時の声のかけ方、「当事者研究」を適用した自分の助け方などを一緒に検討している。母の理解力には問題がないが、しつけや子育てへのこだわりは強かった。

このころのある日、担当日だった私は18時に出勤した。カウンセラーは2時間勤務で平日は交代で担当する。ちょうど、子どもたちが自宅に戻り学習室や遊戯室が静かになり、順番に日勤職員が帰宅する時間帯である。カウンセラーで共有する記録にはほぼ毎日、この母子のことが書かれていたので、出勤してすぐに目を通していた。当時は夜間に子どもたちのかんしゃくが激しいため、連日職員やカウンセラーが介入している様子だった。

すると、その日も母の怒鳴り声と子の泣き叫ぶ声が呼応するように聞こえ出したため、玄関口でベルを鳴らした。固い表情の母が出てきて、部屋には状況をうかがう子どもたちがいた。なるべく普通の調子で、食事中に何があったのか聞いていった。詳細は忘れてしまったが、おかずの分け方が少し多いか少ないか、お風呂に先に入るかあとで入るかなどのことだったと思う。そうした意向や気持ちのすれ違いをきっかけに、三者が相手をいかにコントロールするか、まるでゲームのように毎日展開していた。

私はとりあえず、三者の混乱でわけがわからなくなっていた食事やお風呂の問題の交通整理をした。子どもたちは母以外にはおどろくほど素直に従い、何がどこにあるか教えてくれた。玄関口で泣き崩れ、疲れ切っている母に、ねぎらいの声をかけていると、子どもたちはみたことがないといわんばかりの様子で「不思議な人間」をみるかのような目をしてそばに寄ってきた。

そしてまた次の日は、違うカウンセラー、あるカウンセラーが三者で繰り広げられる混乱に対応した。このような生活介入が常態化していたため、カウンセラーは一時的に子どもを施設に預ける選択肢もあることを母に伝えている。母は「子どもと離れるのだけはいや」「休みたいが、子どもと離れたくない。でも子どもを傷つけて自己嫌悪になる。どうしていいかわからない。私はここがなくなると頼る身内がないのでここにいたい」と述べ、なにかと理由をつけ、このカウンセラーの面談予約を取りやめることが続いた。

しかし入所後約6か月に、子どものかんしゃくがいつもよりひどく、母も事態をおさめるどころか強引にしかりつける事態が起こったため、職員らは「母自身がギブアップできるための支援」を目指すことの確認にいたっている。母自身もこの頃、「死にたい」と言葉にして休息の必要を感じており、精神科病院への入院を希望した。子どもたちは戸惑いながらも、いやがることなくショートステイ先に行き、笑顔で遊ぶなどの適応をみせたが、再び施設に戻った際には、真っ先に「なぜ行かなければならなかったのか」と強い怒りを母にむけた。

状況の打開を目的として、入院中に関係者会議（母の弁護士、精神科病院関係者、母子生活支援施設の職員、ショートステイ先の児童養護施設職員、児童相談所職員）が開催されることになった。その場で、施設から母子一緒の生活が難しいことを主張し、関係者には理解を得たのだが、実際に母子分離を提案した主治医に対して、母が強い行動化によって意思表示を行った。そのため、入院が延長となり結局は母子で施設に戻ることになった。母は施設を「自分自身のより所」と話しており、少なくとも養育権をめぐる調停の決着がつくまでは入所継続をなによりも強く希望していた。

しかし、予想されたように退院後も状況は改善せず、むしろ母のかい離発作が頻発した。母のかい離発作は状況反応やフラッシュバックがあると思われるが、意識を失ってその場で力なく倒れこみ、声かけをしても一定時間は反応がない状態で、大きな声での呼びかけや身体接触などを幾度も行うと意識を戻すというものである。施設内で倒れた場合には、その場で介抱したり、時には通院先の精神科に連絡したり、救急対応するなどの対応に追われた。子どもたちの面前のこともあり、虐待通告の可能性について職員とカウンセラー間で現実味を帯びて検討されはじめた。これが入所後約1年の頃である。

母親が倒れた際の子どもたちは、当初はふたりとも驚いて泣きじゃくっていたが、慣れてくると職員に言われたのか濡れタオルを母親のおでこに当てて職員を呼ぶという対応を学んでいる。ふたりとも、家以外の場で大きな問題はみられなかった。

このように母の状態は不安定さを極めていたが、それでも日によっては3人で映画をみたり、公園にいって遊ぶなどもしていた。この時期、母は再入院も母子分離も強く拒否し、子どもを

「奪われる」ことはなんとしても避けたいと考えていた。母であるということが自己存在を支えているかのようであり、子どもを社会的養護に託すことは「母親失格」を強く意味していた。しかし、他方で職員のすすめにより子どもとの関係が悪くなかった母方祖父宅に子どもたちを外泊させ世話を依頼することを定着させていった。担当職員は母との関係性を構築しながら「母親」であることを全面的に支援し、職員全員で限界値を上げながら日々支援に入っていた。同時に、職員もカウンセラーも方向性のみえない状況への危惧を強く感じていた。母のかい離発作はこの頃には場所を選ばずに生じ、職員らの心配は手に取るように感じられた。

入所約1年10か月には、裁判の結審が近づいていた。調停のたびに母が消耗している様子がみられたある日、調停で相手方の主張を示した文書が渡され、母はカウンセラー面談を希望した。担当日だった私が居室を訪れると母は横たわっていた。いつもと違う様子で、恐怖と怒りがないまぜになったような、行動化をともなう不安定さだった。遅番の職員と手分けして子の安全を優先させ、母対応と子ども対応を行った。2時間の勤務では対応できないこともたびたびで、まるで薄氷をふむような日々が続いていたように思う。

このようなことが幾度もあったが、それでも司法対応は都度こなし、入所後約2年2か月でやっと「ようやくこのために頑張ってきた」という離婚調停が成立し、大きな山を越え「放心状態」のような状態がみられた。

子の入学と母の復職にむけて限界が極まった時期（8か月）

この時期、母は私に子どもとの関係について「ふたり一度にくると気分が悪くなり、くねくねしている姿をみたら気持ちが悪くなりそう」などの言語化ができるようになっていた。一方、子ども達はかんしゃく時の激しさが依然継続していたため児童精神科を受診し、助言を受けている。子どもたちは母がいると「手がむずむずする」と言っていたらしい。

入所後約2年4か月には、母は復職にむけて動き出している。面談では「死にたい」「つらい」「（暴れだした子どもに対して）子どもを殺したくなる」などの強い言語化を受けとめることに努め、気持ちの整理や現実への対処の検討などを行っている。一方、面談での強い言語化とは裏腹に、日によっては穏やかな母子間のやりとりや、外出から笑顔で戻ってくるなどもみられ、面談での言動とのギャップが大きい時期でもあった。

また、母は復職時期の目途がたったとはいえ、いずれは施設退所となることが施設外の関係者から時期とともに示され、大きなショックを受けている。加えて、上の子どもが卒園・入学を控えての緊張からか暴れる場面が増えており、それに呼応して下の子どもも母親を蹴ったりすることがあり、母のかい離発作が時にみられた。母が復職にむけて余裕がないため、子どもの行動化（SOS）が高まる可能性も推察され、職員らは常に母子分離の可能性を視野におくようになっていった。

分離にむけての支援（1か月）

この時期、母は「限界です」と力なく話し、復職にむけての職場への憤りや、子どもたちへの対応に疲れていた。しかし他方で、子どもと離れる意思は固まっていなかった。そのためカウンセラーと職員の話し合いでは、第三者（職員）の濃密な介入がないと母子の生活が困難であること、母が限界を意思表示している今だからこそ分離にむけての好機ではないかと話し合っている。そして、良いタイミングで母が決断できることを目指して支援が継続された。

どちらかというと、当初からカウンセラーは分離にむけた支援のプロセスを提案してきたが、日々の支援を行う職員の間では分離か母子支援の継続か、それぞれの立場や考えが表明され、意見の相違があった。しかし、ここにきてようやく分離のための支援プロセスを進むことが施設内で共有された。

「限界」SOSから約20日後、母が子ども達に対して激しく退行状態となり、言うことをきかないで暴れている子どもたちに対して心理的恐怖を与えながら拒否し、夜は母方祖父宅に子どもたちを預ける一件があった。職員は、児童相談所と協議を行ったが、この段階では母本人の意思がなければ介入しないという判断であったため、職員やカウンセラー全員が強いもどかしさを感じた。

母子が一緒にいること自体が、双方にとって傷つきの体験であるにもかかわらず、少なくとも母は子どもと離れる選択肢を持たなかった。他方、母は「がけっぷち」と言いながらも復職を果たしている。いつもぎりぎりのところで社会的な対応をこなしていたことは特筆すべきだろう。

しかし、母の復職、長女の入学のストレスにより、母子間の悪循環がいずれも極まっていることは明らかであったため、施設からの希望で、児童相談所、ショートステイ先の児童養護施設との協議の場を持つこととなった。そして、この場でようやく一時保護から施設入所にむけて対応が必要だとの認識が共有され、分離にむけての関係者間合意が固まった。

この合意を背景に、カウンセラーと職員は退行ぎみの母に対して、「分離は子どもたちのために必要」なことであること、「お互いが安定した生活を取り戻すことが重要」であることを以前にも増して繰り返し面談で伝えた。

私が担当した面談においても、母は逡巡しながらも「こんな不安定な母親に育てられるのなら、児童相談所がいいのかもしれない」ともらしている。私は母に、子どもがまだ小さいうちに互いにとっていい関係や距離をとるための選択（分離）をとることは「今ならまだ遅くない」「一緒に暮らすだけが母親の役目ではない」と話したことを覚えている。

数日後、いつものように食事やお風呂をめぐって子どもたちの激しいかんしゃくへの対応に混乱した母は、この日のカウンセラーと私で対応した数時間にわたる面接の結果、「子どもたちのために」という理由で一時保護に同意した。待機していた職員はこの機を逃さず、すぐに児童相談所に対応を求め一時保護となった。

決断直後の母は「同意の意思」を取り消すことはなく大声で泣いていた。そして、一時保護に持っていくものを子どもたちに用意させるために自室へ戻り、カウンセラー同席のもと子ども達になぜ一時保護となったのかについて話をすることとなった。母は、「もう限界であること、すこし落ち着いてからふたりを迎えにいくこと」を伝えていた。次女は泣きながらかばんに持っていくものを入れ、長女は目をうるませながらも、母を冷静にみている様子がきわめて印象的であった。

母子分離のその後

子どもたちを一時保護に入所させたあと、母は仕事をなんとかこなしながら面会が許されないことへの怒りを表出し、「施設に戻ってきて一緒に暮らす」と強く希望する言動が続いていた。職員やカウンセラーは今すぐの再統合に対して否定的な対応をしたため、担当職員に「施設を出ていくから子どもを返して」「みんながうそをついた」とかなりの攻撃をむけている。担当職員は、母の最終的な判断を尊重した行動だったことを伝えて対峙すると、最終的には納得している。さまざまな葛藤や不安を抱えながらも、「子どもたちのために」という母としての視点を軸に、新しい生活場所を決め、仕事のリズムを取り戻し、母も退所となった。

退所後も職員らによる継続的なアフターケアが行われ、双方が安定した生活基盤を持つという当初の目的は概ね達せられ、母のかい離発作や子どもたちの問題行動は減少した。さまざまな紆余曲折を経て、現在、母子ともに支援を受けながら地域で暮らしている。

支援をふりかえって

支援経過のなかで確認できたことは、母子間の悪循環コミュニケーションによって次々と生じる問題や騒動のなかで、母子双方への否定的影響が徐々に明確になったことである。加えて、司法対応や母の復職、子どもの入学といったイベントを契機にその問題が拡大した。にもかかわらずというか、だからこそと書くべきか、母は子どもと離れることには強い拒否感があった。母が生きることを選択するためには、どんな問題や葛藤があろうとも、子どもの存在が不可欠であると固く決意しているかのようにみえた。

そして、歪んだコミュニケーション・パターンが母子間に定着していたことは、DVの影響だと考えられる。親密圏における支配と服従の関係性が、以前のDVを含む家族関係のなかで母子双方に身体化されていた。また、母自身の生い立ちやDV被害から生じた複雑性PTSDの症状も明白だった。

この支援事例では上記したような困難を抱えていたが、最終的に母と職員が母子分離にむけた判断を共有することができた点で意義深い事例である。母が自らの決断で子どもたちのために分離を決断するという局面は、今後のこの母子には重要な意味をもつと思われたからである。母と職員らが分離の決断を共有できた要因は以下の5点である。

①担当職員と母の「疑似親子関係」ともいえる安定した信頼関係の存在
②職員全員による生活密着型の母子支援があったこと
③母による分離決断を視野においた関係機関との土台づくり
④生活の場のなかで母と支援者が試行錯誤するプロセスがあったこと
⑤母のＳＯＳを肯定し「分離＝母親失格」ではないというメッセージを繰り返したこと

本事例は母が自らの判断で分離を決断できた事例であったが、そこに至るまでには約3年の期間を要したことは検討を要するだろう。施設が全力で支援したとはいえ子どもの成長発達面から考えると、もっと早く安定した養育環境を提供できた可能性はある。時間を要した理由は、母が「母親失格になりたくない。子どもを手放したくない」という強い意思を有していたこと、児童相談所が「介入の優先順位は低い」とみていたこと、そして施設が「母子一緒がベスト。そのために支援する」いう考えから分離という選択肢には当初積極的ではなかったことがある。母が子どもを一時的にせよ手放すという経験は、本人にとっても職員にとっても相当に葛藤を含むといえる。

母親規範をめぐって

この母は、経済的に不安定な状況を強いられていた両親（ＤＶあり）による偏った性別役割分業的な価値観のもとで育っている。生い立ちのなかで内面化した母の母親規範「母親失格になりたくない。子どもを手放したくない」と、逆に母子を追い込んでいることがこの事例にもみてとることができる。そして、その意思は自己存在の核心にまで及んでいた。

また、職員らも「母子一緒がベスト」と考えるか「母が問題だから分離を」と考えるかの違いはあったものの、いずれも母親規範の影響を強くうけていたといえる。そのため、母子分離は双方にとって「母親役割の失敗」と映り、回避が優先された。

しかし、なんらかの理由で母親役割を適切に担うことが難しい状況に置かれる女性もおり、それは「失敗」や「母親失格」ではない。いろんな種類の暴力を受けた母が、はたしてひとりで適切に子育てを行えるような社会的状況、経験や資源があったのかと問われるべきである。この点は常に強調したい。

加えて、そもそも「あるべき姿」としてつねに参照されていた母親規範そのものが女性抑圧の思想であれば、この事例の母に問題を帰すわけにはいかない。いや、そうあってはならないというべきだろう。

このように考えはじめた複数の支援者が、次第に「どちらが悪いという理由なしに、母と子の生活を一時的にわけることが双方の最善である」「分離という選択肢は、母と子への罰や失敗であってはならない」ということを支援経過のなかで共有していったプロセスだということができる。

しかしこのようにまとめてしまうと、混沌とした支援経過がきれいに整理されてしまったような、おさまりの悪さを感じるのも正直なところである。果たして、母自身は「分離は母親失格ではない」と思えたのだろうか。すべての支援者が「母親は悪くない」と思うようになったのだろうか。正直に言うと、実際のところそのように考えが変わったとは思えない。ただ、母子の「共同性」（一緒に暮らす）と「親密性」（家族であること）がどうあるべきかをあらためて考える契機にはなったと思いたいし、母親規範を疑うための小さな不協和音くらいの効果はあったと信じたい。

「積極的母子分離」という選択肢

DV被害母子が暴力から逃れて安全な場所で生活を再建することは、それ自体が大きな一歩であるが、決して「解決」ではない。むしろ、仕事、家事、育児、司法対応を抱え、さまざまな問題が顔を出す時期でもある（長谷川２００２）。母子の新たな生活（母子統合）にむけた支援が功を奏すればいいのだが、いろいろな問題・課題を抱える母子の場合には母子分離を判断せざるをえない事例も確実に存在する（横山２０１３）。

しかし、我が国の児童福祉政策および母子及び寡婦福祉政策では、子どもの福祉のために母子をユニットとして支援する政策をとってきており、母子分離には母や支援者双方にスティグマが伴いやすい。母にとっては「母親失格」であり、支援者にとっては「支援がありながら分離させせてしまった」というわけである。

ＤＶ研究は、心理学的・社会学的・社会福祉学的・フェミニズム的な観点から広範にわたるが、母子に対象を絞った研究しかも生活再建期の「母子分離」事例の詳細な検討はほとんどないといってよい。その意味で、この事例の支援では、母親規範に強く規定された母と支援者が、母子分離に伴うスティグマを乗り越えようとする経験を示せたのではないかと考えている。私はこれを「積極的分離」と名付けた。

ここでいう「積極的分離」とは、子どもの福祉と母親役割を担う女性の福祉の両者を視野にいれて判断され、母親失格や罰という価値的意味付けから解放された母子分離のことで、親子間の親密性を保持したまま、共同生活の枠組を一時的に社会的養護にゆだねる選択のことを意味している。

多くの場合、職業上・学業上の理由は別にして、家族において「親密性」と「共同性」は一体であることが想定されるが、野口裕二（２０１３）が指摘するように、両者を切り分けて考えることも有用である。互いの最善の状況を求めて一時的に「共同生活」を社会的養護に委ね、一定の物理的・心理的距離を保ちつつ、あらたな「親密性」を作りなおす前向きな選択はもっと積極的に位置づけられてよいと考える。

分離に伴う否定的な価値づけを減ずるような支援プロセスは、専門的なかかわりを要する母子支援の実践モデルのひとつとして構築される必要がある。

2つの母親規範

そもそも母親規範とは、母親にむけられた規範のことで、「母親の生理的特性としての『母親』や『母性愛』を根拠とし、母親による子育てが子どもにとって、もっともよいとする規範」のことである（井上２０１３）。簡単にいうと、「（産んだ）母親が育てるのが一番」という信念である。

男性が外で稼ぎ、女性が家庭を守りケアをするという、性別役割分業や公私分離の考えを基盤とする「近代家族」を支える家族規範、母親規範である。本章では基本的に、ケア・フェミニズムの観点からこの立場を批判的にみている。なぜなら、女性が「結婚・妊娠・出産・育児」という固定的なライフコースのなかで、私領域に押しとどめられ公領域から排除されること自体にあからさまな女性抑圧をみることができるからである。実際に、母子世帯の貧困、女性の非正規雇用の多さや所得の低さは統計的にも明白である。

しかし、母親規範が女性の選択可能性を狭めるという指摘は正当なものだが、だからといって「母親規範」「母性」は全否定されるべきだろうか。女性の抑圧を支えるイデオロギーだからといって、断罪してしまえるような単純なものではないのではないだろうか（小山１９９１）。

ケアや家庭での仕事は「抑圧であり辛さしんどさである一方で、子を産むことや子育てのすばらしさや楽しさやそれを表象する価値を手放すわけにはいかないという、アンビバレンスなもの」でもあるという元橋利恵（2019）の指摘はそのとおりである。育児を含むケアという行為には豊かな経験性がある。それを、もうすこし社会正義にのっとったかたちで取り出すことはできないだろうか。

ケア・フェミニズムの立場から、元橋（前掲書）が「母親規範」の2つの方向性——本質主義的母性主義と戦略的母性主義——を整理したことは、ここでの検討に有用である。論点整理を加えながらみていこう。

本質主義的母性主義に対する戦略的母性主義

現代日本においてドミナント・ストーリー（支配的な物語）として存在する本質主義的母性主義は、結婚し子どもを産み、母親になって自分の手で育て慈しむということが一連の連続した経験としてセットアップされている。そして、その基盤には産む性に内在している母性や母親としての愛情が無条件にあると考える。女性にはそれがあるべき姿として想定されているため、それ以外には否定的な意味付けが付与される。

もうひとつは、本質主義的母性主義を批判的にとらえつつ、ケアの倫理から母性をとらえたうえで、産む性に内在している母性を前提とした自己犠牲ではなく、ケアを担う人が他者への責任・応答として行うケアを再評価したものである。産む性である女性以外にもその対象を拡大してとらえるほか、ケアを私的領域に閉ざすのではなく、むしろケア関係を社会的に承認する方向で、母性をとらえる考え方である。

戦略的母性主義では、すべての人が出生後からの子ども期の間、また多くの人は亡くなるまでの最期の期間、ケアを受けて生きるという事実に立ち戻り、ケアを正当に評価したうえで、社会的な公正や正義の前提にしようという考え方である。したがって、女性が産み育てることで休業するために仕事を失ったり、キャリアアップが制限されたり、そもそも仕事の選択肢が制限されたりすることを良しとはしない。また、男性並みに残業や休日出勤をして働くことを「男女平等」だとすることもしない。

表1は両者の特徴を私なりにまとめたものである。

戦略的母性主義から示唆されること

本章のテーマにひきつけて戦略的母性主義からどのような支援が望まれるのかをもうすこしだけ考えてみよう。

戦略的母性主義に立てば、「ケアを担う女性達の公正な社会的承認」がめざされる。そのためには、キテイが言うようにケアを担った人には「被保護者と自分自身の両方の生計と福祉に必要な資源を入手できなければならない」し、「依存者のケアとケアする者を支援するという社会的責任を家族や近親者たちより大きなコミュニティで引き受けることが可能な社会」が必要である。

ミヤコさんの事例に関して、以下の2点を指摘したい。

表1　2つの母性主義

	本質主義的母性主義	戦略的母性主義
特　徴	•結婚し子どもを産み母親になり自分の手で育て慈しむことが一連の連続した経験としてセットアップされている •愛情をともなった価値的なシンボルとして美化・聖域化される •産む性に与えられた本質的な特性 •子どもとの対関係として母が社会的に承認される	•自己犠牲のケアとしてではない他者への責任としてケアを再評価 •ケアの営みを女性に生得的なものや本質的なものではなく、経験的社会的に身に付けていくものとして論じ、ケアの公正な配分を要求 •母や母子関係をケアの代表的なものとしてみなして、あえて母子や母性のメタファーを用いる •ケアの倫理に基づいたオルタナティブな社会の展望を描く（ケアの社会化、ケアする人の社会的ケア）
志向性	「近代家族」イデオロギーの維持・強化	ケアを担う女性たちの公正な社会的承認
問　題	•女性の抑圧 •適合しないと「異常」「逸脱」のレッテル •現代における家族の実態との乖離	•本質主義的母性主義があらゆるレベルに浸透している現状がある •社会の変容には時間を要する

以下の論文を参考に筆者が独自に論点整理して作成。

井上清美（2013）『現代日本の母親規範と自己アイデンティティ』風間書房。

元橋利恵（2019）「戦略的母性主義の可能性：ケアの倫理と母性研究の接続のための整理」『年報人間科学』40、73-86頁。

①母親役割を担う女性への支援における、ジェンダー視点あるいはケア・フェミニズムの視点からの再構築

ミヤコさんは、ＤＶ被害の結果、母子生活支援施設に辿り着いたという点で生活や福祉に必要な資源をまずは入手できたといえるだろう。しかし、そこは本質主義的な母親規範が求められる場としても機能していた。須藤八千代（２０００）は社会福祉の女性観について「母性への重い価値づけと、『要保護女子』といわれた女性にむけた性的規範に基づく非難という二極化した女性観」があることを指摘し、「社会福祉のなかの母性主義は、母親と子どもの当事者性と非当事者性を区別しないままにきた」とするどく述べている。母子生活支援施設は、母子双方を包括的に支援する施設で重要な社会資源のひとつであるが、そこで母親役割を担う女性をどのようにとらえて支援するのかについては、ジェンダー視点あるいはケア・フェミニズムの視点からの再構築が強く求められている。

フェミニスト・ソーシャルワークを提唱したレナ・ドミネリも「子どもや家族に関わることは、家父長的関係が再生産される場所に関わることである」と言い、関わりによっては女性／母親の抑圧にコミットメントすると述べている。そして「児童福祉分野において、子どもの利益を優先し女性の姿勢を批判する考え方は、女性解放と子どもの非抑圧に取り組むフェミニストソーシャルワーカーに難しい課題を提起している」とし、育児能力があるかどうかで「良い母親」と「悪い母親」を分け、後者を非難したり母親らしく指導したりすることを止めるべきだと述べている。そのうえで、「一番大事なことは、一人の女性が生きているその固有の文脈を分析する必

要性」だと主張し、「女性や子どもを彼らの社会的文脈の中に位置付けることであり、一人ひとりに制約や条件を負わせる社会問題に目を向けることである」と何度も指摘している（ドミネリ2015）。

②支援に不可欠となるコミュニティにおける資源開発

ケア・フェミニズムの視点から、母子の抱える問題と彼女らの社会的状況や社会的文脈から理解するとすれば、おのずと母子双方を支援する資源やコミュニティの問題や課題が視野に入る。社会資源は圧倒的に不足しているし、関係機関の柔軟な連携が不足していることを痛感する。たとえば、ミヤコさんが地域で生活するにあたっては、公的な児童福祉機関や医療機関のほか、母が継続して身近に相談できる人・機関や、子ども食堂などの居場所、学校や役所・医療などへの同行を含めて、アドボカシーの観点から母子に伴走してくれる人・機関、日中や短期宿泊で子どもを預かってくれる人などが必要となってくる。

地域全体で子育てを支援するという方向性は理念としては推進されているが、まだまだ規範レベル、制度レベル、実体レベルにおいて未整備であるといわざるをえず、だからこそ関係者が小さなアクションを起こし、問題を共有し、具体的な行動につなげることが期待されている。

ひとつのアイデンティティを生きているわけではない

本章では、母親規範をテーマにして論を進めてきた。しかし、最後に述べておかなければならないのは、人のアイデンティティはひとつではなく、複層的だということである。

ミヤコさんも、彼女の生を支える中心的なアイデンティティが母親であることに間違いはないが、そのほかに生計を維持するために必要な職業的なアイデンティティ――これはある程度、健全に遂行されていた――も有していたし、自らの生い立ちから機能不全家庭で育った子どもだという認識も十分に有していた。

ひるがえって、支援者も職業的な役割意識から対応することもあれば、個人的な価値観や感情によって対応することも、同じ女性／母親として共感したり忌避したりすることもあるだろう。人のアイデンティティは複層的である。だからこそ、本質主義的な母親規範のなかに、個人を押し込めようとするのではなく、母や子のウェル・ビーイング（最善の状態・福利）にむけて必要な支援を続けていきたい。その道は、支援者にとっても「自己の小さな崩壊」（世界の再構成）を繰り返す自己変容の興味深いプロセスになるだろう。

もうひとつの大問題――「不在の父」問題

ジェンダー問題としてのDVでは、親密な関係のなかに根づいた支配と服従の関係性が、母子双方に否定的な影響を与え続けていることが多い。しかし、ミヤコさんは暴力の場から逃げてくる力があり、最終的に司法対応や復職なども果たす力を有していたことは特筆すべきことである。しかし、DV被害者の多くがその力を同じように有するとはいえない。

DV被害者支援には、述べてきたようなエンパワメントを基本とする多様な支援が必要であると同時に、ジェンダー視点を有する質の高い支援が必要である。これは子どもの支援にも直結する。ただ、この支援経過には直接に登場しなかったが、DVのもうひとりの当事者「不在の父親」をどう考えればいいのかという問題は、いずれの事例においても残っている。

つまり、DVのもうひとりの当事者である加害男性に対する介入の必要性である。「男性の存在を不問にすべきではない」（宮本 2013）、「加害者をいわば放置していることの弊害は大きく」（戒能 2017）、「被害者がすべてを捨てて逃げるのは、実に不平等」（信田 2020）、「家を出るべきは加害者です」（山口 2020）という識者の指摘につきる。

また、信田さよ子（2011）や高井由紀子（2018）が指摘するように、加害者更生プログラムはいまだ「不十分である」という評価が一般的である。ただ、最近では2019年3月に「DV加害者更生教育プログラム」全国ネットワークが発足している。また、内閣府男女共同参画局による『配偶者等からの暴力の被害者支援における危険度判定に基づく加害者対応に関する調査研究事業報告書』（令和元（2019）年8月）で、海外の取り組みを調査し、「加害者対応と連動させた包括的な被害者支援体制の構築」が必要だと述べていることは注目に値する。全国の公的機関および多様な民間機関によって加害者対応の取り組みが広がることが切に求められている。

最後に私の「母親規範」をめぐって

母子生活支援施設の実践と研究に関わりはじめて10年を超えた。この間、ミヤコさんたちをはじめとして多くの支援実践のそばで「暴力被害とそれによるトラウマ反応」「虐待と命名される歪んだ親子関係」「母の社会的な生活基盤の薄さ」「世代を超えて継承される困難さ」について考えさせられた。そして、この社会は母子にとってなぜこんなに生きづらいのかと、社会のしくみ自体を問わざるをえなかった。

また、女性としていくつかの要因が重なったときに、自分もそのようになったかもしれないと容易に想像できた。加えて、思い返すまでもなく私の母も、先日看取った義理の母も、本質的母性主義を疑うこともなく、「主婦＋母親」道をまっしぐらに生きてきたのだった。

ふたりともなんらかの「障害」を抱えた我が子を育て、保護し、心配し、世話をすることに必死で、誰から言われるまでもなくそれらすべてを引き受けることが当然であると考えていた。もちろん、障害児者の支援制度が整備されていない時代背景も大きく関係しているだろう。

ふたりの母に共通しているのは「私がこの子をこんなふうに産んだ」という自責の言葉である。娘／嫁である私は、兄弟／夫が聞かないような、そんな一言を聞くことがある。

母の自責の念と闘いはじめたのは、私が大学生の頃からである。卒業論文では障害児の早期療育の必要性をとりあげ、さまざまな文献や資料を読み、家族機能を社会化し、母親支援をする必要性を述べた。母親の自責の念が、他者や社会的な支援を遠ざけることに息詰まり感や怒りを感じてきたので、自分の考えていることが多少、整理された気がした。それからもうずいぶんたつ。

幾度、言葉でやりとりしても、ふたりの母の信念は変わることはない。頑強である。おそらく、母親であることをそのように刷り込まれた時代や環境、多様な背景があるからだろう。また、それを手放すことは、自分と子どもを放棄することに直結するからだろう。手放すどころかそれを携えて生きるということが母親として生きた生の証明なのだろう。父親／夫はその関係に二次的にしか関係しなかったようだ。そして、社会はそのようにすることを期待したのだろう。そう理解するほかない。

「母親規範（母親とはこうあるべき）が特定の個人にむけられたとき、それは時に暴力である」という冒頭の言葉を、せめて福祉関係者は心にとめておきたい。そして、本質的母性主義がどれだけ母親を囲い込んできたかに関心をもち、ケアの価値を減ずることなく、「ケアする人をケアする社会」のなかに自らを位置づけていきたい。

思ってもみないことだったが、卒業論文と同じ結論になってしまった。私は今生では「母親」にはならなかったのだが、「母親規範」は私の人生の物語を貫くひとつの重要なテーマである。これから親になろうとする若者に、もうひとつの「母親規範」を問いかけ続けたい。

【参考文献】

井上清美『現代日本の母親規範と自己アイデンティティ』風間書房、２０１３年

戒能民江「ＤＶ被害者支援から見えてきたもの」（『国際ジェンダー学会誌』15、２０１７年）

キテイ、エヴァ・フェダー『愛の労働あるいは依存とケアの正義論』岡野八代・牟田和恵監訳、白澤社発行・現代書館発売、２０１０年

小山静子『良妻賢母という規範』勁草書房、１９９１年

須藤八千代「社会福祉と女性観」（杉本貴代栄編著『ジェンダー・エシックスと社会福祉』ミネルヴァ書房、２０００年）

髙井由紀子「人権侵害としてのＤＶ問題に資するための加害者対応のあり方に関する一考察　ＤＶ加害者プログラムに通う夫をもつ女性へのインタビュー調査からの考察」（『教育学論究』10、２０１８年）

ドミネリ、レナ『フェミニストソーシャルワーク――福祉国家・グローバリゼーション・脱専門職主義』須藤八千代訳、明石書店、２０１５年

野口裕二「親密性と共同性『親密性の変容』再考」（庄司洋子編『親密性の福祉社会学　ケアが織りなす関係』東京大学出版会、２０１３年）

信田さよ子「ＤＶと家族への視点」（『こころの科学』155、２０１１年）

信田さよ子「いまふたたび『女性であること』を考える　ジェンダーの視点から」（『こころの科学　HUMAN MIND SPECIAL ISSUE ２０２０』２０２０年）

長谷川京子「ＤＶ防止法と被害者支援・加害者対策」（『生活教育』46（11）、２００２年）

宮本節子「差別、貧困、暴力被害、性の当事者性　東京都５施設の実態調査から」（須藤八千代・宮本節子編著『婦人保護施設と売春・貧困・ＤＶ問題――女性支援の変遷と新たな展開』明石書

店、2013年）
元橋利恵「戦略的母性主義の可能性――ケアの倫理と母性研究の接続のための整理」（『年報人間科学』40、2019年）
山口のり子「DVに立ち向かう女性たち」（『こころの科学 HUMAN MIND SPECIAL ISSUE 2020』2020年）
横山登志子「虐待問題を抱える母子の生活支援における『多次元葛藤』」（『社会福祉学』54（3）、2013年）
横山登志子（2018）「複合的な問題への実践②DV被害母子の生活再建支援」（横山登志子編『社会福祉実践の理論と実際』NHK出版、2018年）

9 フェミニズムの杭を打ち込む

母子生活支援施設とフェミニストソーシャルワーク

須藤八千代

私は、2007年に『母子寮と母子生活支援施設のあいだ――女性と子どもを支援するソーシャルワーク実践』（明石書店）を上梓した。3年後にその増補版を出した。この本を読んだ母子生活支援施設に入っている女性から長いメールをもらい、さっそく会ってその女性の経験を加えることになったからである。

本の構成を考える段階から、入所している女性にインタビューして原稿にまとめたいと考えていたが、結果的に、「第二章　女性たちと母子寮――フェイクな生き方」の一人だけにとどまった。できればもう少し女性の経験を集めたかったが、実現しなかった。そんな経緯で出したので、初版を読んで共感したとメールをくれたその女性に会いに行き、原稿を書いてもらうことにした。「この三年間、私は怒り続けてきた」という瀬山さん（仮名）の原稿を編集して、「『母子寮に措置される立場になる』ということ」という補章を増補版に加えた。瀬山さんが抱えるのは「人間の尊厳を強く踏みにじられた」という怒りであった。

私もソーシャルワーカーとして母子生活支援施設について屈折した感情を抱えて仕事をしてきた。それは社会福祉施設全体が抱える収容保護や管理という思想、また施設環境の問題などを目の当たりに見ていたからである。１９７０年に仕事に就いて私が見たものは、精神病院の閉鎖病棟や4畳半一間にトイレ、風呂、台所も共有の母子寮だった。私はできればそのような場所を使わない方向を模索していた。

その屈折した感情の底にあるものは、２００1年に私が書いた母子生活支援施設の事例に対するコメントに表れている。その事例は『子どもの援助と子育て支援』（長谷川ほか２００１）に収載された「母と子の『絆』を育てる援助——母子生活支援施設の取り組み」（伊東茂哉）で、私はそれに対して、「『母親』を解釈すること」という短いが批判的な「コメント」を書いた。大学の教員になる直前のことである。

その事例では「内夫との関係が切れない養育能力に欠ける母」という言葉で、子どもに十分に向き合わない女性への批判が強く述べられていた。私はそれに対し女性を母親に一面化するのではなく、多面的に「母親」である女性を解釈する視点を求めたのである。これは理論ではなく私自身の深い実感である。

20年前のこの私の視点は今も変わらない。その「コメント」はフェミニズムやジェンダーという言葉を使って書いていない。まだ私たちの共通概念になっていなかったからだ。しかし私の中にはフェミニズムがふつふつと湧いていた。この本の編集者は事例執筆者の「この人は母子生活支援施設のことを知らない人だ」という反論を伝えてきた。それに応えるために冒頭で触れた本を書くことにしたのである。

「あいだ」は埋められたのか

本のタイトルの『母子寮と母子生活支援施設のあいだ』の「あいだ」という言葉には私の批判的視点が込められている。それまで「母子寮」という素朴な名称だったものが、1997年児童福祉法の改正に伴い、ほかの施設と同様に「母子生活支援施設」というその役割を示す立派な名称に変わった。また大都市では建物も改築され、居室空間の独立性や外観も改善された。

ただ地方に目を転じてみると老朽化したままの施設も多く、単なる住居提供にとどまり生活支援という内実を伴わない実態だった。そこで2003年に中部地域を中心に数多くの母子生活支援施設を調査し、現実をさらに確かめることにした。単に法律を改正したぐらいで現実は変わらないことはわかっていた。しかしその施設を必要とする女性と子どものために変えていかなければならないという強い気持ちを持っていた。苦境のときにそこで暮らす時間を少しでも良いものにかえなければならない。それが私のフェミニズムだった。「あいだ」はそうなっていない段階にあるという意味である。

「母子寮」には戦前から戦後にかけての歴史がある。長い時間がたったとはいえ膨大な母子世帯を生んだ第二次世界大戦と切り離すことはできない。しかし私たちの目の前の施設は大きな変貌を遂げていた。しかしこの本ではあえて母子生活支援施設ではなく、「母子寮」と表記した。新しい名称に到達していない「あいだ」に残る課題を明らかにするためである。

そして「母子生活支援施設」として進もうとする職員たちの「大喧嘩」や「丁々発止」の議論に耳を傾け紹介した。それはドナルド・ショーンが「マイナーな専門職」と呼ぶ人たちによる『めちゃくちゃ』に混乱しぬかるんだ低地」での言葉であった。「厄介ではあるが重要な問題」があり「人間の最大の関心事がある」というショーンの指摘どおりだった（Schön 1983 = 2001）。

このような現実の「あいだ」とは別に、私のその本の序章と終章の「あいだ」にここでは目をやってみたい。序章で私はいくつかのエピソードを書いた。たとえばサンディエゴであった日本人女性から聞かれた母子寮のこと、またクリスマスイブの夜に母子寮見学に行った母子のこと。そして老朽化した母子寮への入所を要求する生活保護のインテーク面接の場面など、母子寮と女性のリアルな現実を書き残した。

「母子寮が閉じ込められてきた言説や社会的文脈から、母子寮という空間を解放してみたい。施設の奥に閉じ込められた『母親』を解放したい」（須藤２０１０：15頁、以下須藤の文献はすべて同一）という思いを持ちながら、その実、私は恐る恐るであった。「この人は母子寮のことを知らない人だ」という先のクレームに怖気づいていたのかもしれない。施設を訪ね歩き、話を聞きながら文献や報告書を読んだ。

どんな問題にも光と影がある。たとえば隣接してクリーニング工場を持っている施設は、入所者はその工場で働くことになっている。仕事が保障され生活保護も不要だ。しかし言い換えれば職業の選択の自由はない。生活の場と仕事が道を挟んで完結している。おまけに保育園も併設されている。母子世帯は自立しているということもできるが、その息苦しさは格別だろう。

終章の冒頭で「私自身の母子寮をめぐる〝視点〟は迷走した」と書いている。それは目の前の現実を、施設側から見るときと、母親と子ども側から考えることの違いに悩んだからである。私は悩みながら帰路につき、そして終章の「縦軸と横軸――フェミニズムとソーシャルワークの交点」にたどり着いたのである。

序章でいくつかのエピソードを出したが、私はこの本では終章にいくまでフェミニズムとかジェンダーという言葉を封印していた。そうしなければ母子生活支援施設とつながることが難しくなる、本を読んでもらえないと思ったのである。

フェミニズムと母子生活支援施設

日本でも女性学やフェミニズム研究者は、早くから「社会福祉はジェンダー・イッシューであり、社会福祉総体をフェミニズムの視点から検証しなければならない」（杉本貴代栄）といってきた。しかし肝心の社会福祉内部の動きは小さかった。

「全国母子生活支援施設研究大会」に集まる施設長はほとんど男性で、ＤＶをテーマにした分科会はすぐに「暫定定員問題」にすり替わっていた。またシングルマザーとして赤石千衣子さんが講演したときは、私の周りの男性たち数人から侮蔑的な言葉が漏れてきた。私は緊張してその場にいたことを思いだす。

しかし私はすでに「フェミニズムの視点に立つ支援」をうたった母子生活支援施設C寮の『事業報告』を持っていた。そこには具体的に次のように書かれている。

1　共感関係の中で「利用者」が〝自らを語っていくこと〟の意義を積極的に位置づけて職員がフェミニズムの視点から丹念に聞き取っていくことが必要である。

2　「利用者」の母子生活支援施設での生活を「女性役割」の意識を克服していくプロセスであるという視点から捉え直す。

3　伝統的「母性」観「母親役割」の呪縛から「利用者」を解放する視点から養育の支援を行う。

4　「利用者」の就労の現場での苦悩を共に分かち合いながら、具体的な解決へ向けて支援を行っていく。

5　「利用者」の異性関係をフェミニズムの視点から支持していくことも課題としていく。

6　「利用者」の性にかかわる苦悩やゆらぎを女性の性的自立にむけたプロセスとしていく視点と捉える。

7　〝暴力の被害者としての女性〟から自ら癒しと主体的な行動を通じ、人間の尊厳を回復していく過程とする。

（『事業報告』：19－20頁、須藤：184頁）

これは単なる理念として書かれているのではない。そこにいる女性たちの姿もはっきりと記述されている。少し長いがそれもここに引用しておこう。

まずその髪型、服装、厚底靴、お化粧、ケータイでのコミュニケーションは今流行のファッションと見ていられたが、夏ごろから夜に子どもを置いたまま〝非常扉破り〟をして連れ立って遊びに出る、屋根伝いに朝帰りをする等、ということが日常頻繁になっていく事態に職員は直面した。19歳、20歳ぐらいで母親になり、その相手との関係が破綻して（たいがいは夫の暴力からの避難）C寮にやってきた彼女たちは、当初の混乱の時期への支援を受け、当面の生活の安定が得られたと思われた頃、前述のような事態を起こしていったのだ。それは、夫の暴力に怯える苦しい結婚生活の中で、子どもを必死に育てることに精一杯だった自分に、奪われた時間を取り戻したいという思いであり、〝もっと自由に遊びたかった〟時間への渇望が湧き出してきたようだった。

（『事業報告』：66－67頁、須藤：186頁）

この『事業報告』と「フェミニズムの視点に立つ支援」をつなげれば、フェミニズムの視点に立つことの困難とかつ視点の深さを理解できる。縦軸は立てられると考えた。世界的にもフェミニズム研究は、それが白人の中流階層の女性を想定していると黒人女性によって批判され、ブラックフェミニズムやラディカルフェミニズムなどが展開した。このC寮のフェミニズムもラディカルなものである。

私はこの『事業報告書』を終章において『母子寮と母子生活支援施設のあいだ』のまとめとし、母子生活支援施設の縦軸にフェミニズムを置くことができた。アカデミズムや先進的な運動の中にいる女性たちのフェミニズムではなく、母子生活支援施設のラディカルフェミニズムがあることをこの報告書が教えてくれた。

2001年には夫からの暴力はDVという二文字になり、またフェミニズムやジェンダーという言葉を取り巻く社会の空気は明らかに変化した。しかしそう見えるだけかもしれない。ただ時間がたてば変わるものではない。周りの社会が変えてくれるのではない。母子生活支援施設自身の内発的な努力が必要なのである。

研修会での事例

2020年の秋、私はある母子生活支援施設の事例を基にした職員研修の講師に招かれた。前著を上梓した後は婦人保護施設にテーマを移し、母子生活支援施設とのかかわりはあまりなかった。

そのときの事例を簡単に説明しよう。およそ3年前に入所しすでに退所した40代の女性の事例である。彼女は4歳の子どもと2人で施設で暮らしていたが、ほかに学齢期の子どもが2人いて、その子らは児童養護施設に入っていた。

地方で通信制の高校を中退し、上京して居酒屋でアルバイトをしていた。そこで知り合った男性と結婚。子どもが一人生まれたが離婚した。当日の資料によると、その後、5、6人の男性とのあいだで、結婚と離婚あるいは同棲が繰り返され、その中で女性は出産や中絶を経験していた。

その結果、最後の男性からの暴力から逃れてシェルターに入り、そこから母子生活支援施設に移っている。生活保護の受給、保育園に子どもを預けてパート就労、精神科クリニックの受診、また児童養護施設の子どもを引き取るための「家族再統合」を目指したカンファレンスの実施などが報告された。母子生活支援施設の居室環境も整えられており、担当職員のきめ細かいケースワークが行われている。ソーシャルワークの横軸はきちんと引かれていた。

それにもかかわらず女性と子どもはバタバタと施設から退所した。それは一度は別れた男性との交際と妊娠という事態の発覚が契機となった。見方を変えればこのような問題に対する自己責任を取る形で退所したといえるだろう。その事態に関係者は驚き落胆し、怒りさえ覚えたにちがいない。それまでの順序だてて進められた支援が、男性との接点によって断ち切れてしまったことを、次のように報告者は書いている。


お母さんのこれまでの人生をふまえて今回の退所に至った時に、〝同じところに戻ってしまわないか〟と心配しました。今回の妊娠についてお母さんは被害者だったと思います。細かな経過はわかりませんが、つらい思いをされたであろうことを想像すると身体だけでなく心にも大きな傷を負われたと考えます。その一方、複数の男性との関係が代わる代わる続いてきた人生を考えると、お母さんが頼りにできるのは男性だけだったのかな、と思いました。なかなか心の扉は固く重い方だったと思いますが、入所期間中、何かお母さんの支えになることはできたのだろうか？　と自問する結果となりました。

（事例報告者）

女性は児童相談所にこの妊娠を話し、そこから福祉事務所そして生活している施設にこの一件が報告されたという。妊娠中絶手術、アパート契約そして施設退所を女性は周囲に相談することなく自分で進めて、このケースは施設としては一応の終結となっている。

事例の終結すなわち施設退所のいきさつは、まさにこれまでのエピソードの上書きとなり、前頁の記述のような担当者の戸惑いや自問が残されて当然だろう。

ただこの日の報告の場では、怒りや無念さなどは語られず、資料をもとに淡々と説明された。それが私には物足りなかった。現場はこのような予想外のエピソードに満ちている。これだけ時間をかけて進めてきた経過が、思いがけない事態で断ち切られたとき何らかの感情を抱くのが普通である。そのとき、自分のなかに湧き上がる感情や思いを言葉にすることで「行為の中の知」（ショーン）を知ることができる。ショーンは「私たちの知は通常、行為のパターンや扱っている素材に対する感情の中に暗黙に存在しており、不明瞭なものである」（Schön 1983=2001: 76）という。

今回の事例検討は戸惑いや苛立ちの感情が、次に進むポイントだった。横軸のソーシャルワークが「こんな結果になってしまった」ことや、「何か支えになることはできたのだろうか」という気持ちを掘り下げることができなかったのは私の力不足である。

個人的なことは社会的なことである

短い時間と限られた資料から、講師としてコメントするのは難しい。しかし頭の中はいろいろな考えや思いでいっぱいだった。女性の男性関係とそのライフストーリーの複雑さ、またソーシャルワーカー側の無念さや敗北感など聞きたいことはたくさんあったがそのままになっている。そこで今、ここで考えたことを書いておきたい。

すなわちそれは前著の終章のタイトル「縦軸と横軸――フェミニズムとソーシャルワークの交点」についてである。事例は先にも書いたように今日のソーシャルワークのモデルをふまえて進められ、子どもとの再統合のカンファレンスや就労支援など順序立てて行われている。すなわちソーシャルワークという横軸は引かれているといえよう。

しかし、縦軸すなわちフェミニズムの視点がないのである。女性が多くの男性と性的関係を持ち出産や妊娠中絶を繰り返してきたことは、この報告の中で「男性依存」という言葉で説明された。しかしこれを女性の側の「男性依存」という個人的な問題として理解することは、「個人的なことは社会的なことである」というフェミニズムの大原則に反するのだ。

女性は妊娠する生物学的性（セックス）を持つ。この女性も子どもを産むだけでなく中絶を重ねている。それによって産後うつなどのメンタルな問題が引き起こされ、出産、中絶に伴う精神的、肉体的苦痛も経験してきた。それだけでなく男性たちは彼女に暴力をふるい遺棄してきた。

このように男性と女性の生物学的性（セックス）はまったく非対称であるだけでなく、その生物学的性は、そのまま存在するのではなくジェンダーという社会的文化的性の姿になって存在する。男性という生物学的性は男らしさという強さや能動性を孕み、女性という生物学的性は女らしさという弱さや受動性をまとう。

そして男性はジェンダーの優位性をもとにセックス（性行為）を求め、かつその結果をすべて女性に覆いかぶせているのである。あまりに事例のセックス（性行為）の結果は、この女性を貶めている。私はこの事例の報告を冷静に聞いてはいられなかった。

私たちがそれをさらに「男性依存」というならば、「ジェンダーはそれによってセックスそのものが確立されていく生産装置」（ジュディス・バトラー）に、つまりこの不当なジェンダー構造の生産装置にソーシャルワークが加担してしまうことになる（Butler 1983=1999）。

実際、この事例報告では女性だけが取り上げられ、男性についてはまったく言及されなかった。男性関係を重ねる女性の行動だけが問題視され、男性の責任や倫理について議論されることはなかったのである。それは女性を被害者と捉えることで許されるものではない。結局のところ母子福祉、児童福祉政策とは、何の疑問も持たず批判もせず男性に代わってその責任を肩代わりしている社会政策に見える。夫の戦死ならそれでいいだろう。しかし現在目の前にいる母子は戦争の時の「軍人遺家族」である母子世帯ではない。

私たちはソーシャルワークにフェミニズムの縦軸を打ち込まなければならない。それがそのとき私が感じた確信である。セックスはジェンダーによって社会的に構築されていること、個人的なことは政治的なことだというフェミニズムの価値観なしに女性への保護や支援はできない。

現場は次々とケースを受け入れる場所だ。常に動いていく。それに対応して私たちは変化していく。それを事例化するとはある視点を示すことである。もちろん視点は多面的かつ多様である。しかし母子生活支援施設の事例であるならばフェミニズムという縦軸は不可欠である。

男性に依存して妊娠や中絶を繰り返す困った女性が、支援の甲斐なくまた前と同じ状態に戻ってしまったと嘆くのではなく、私たちが欠落させている視点は何か考えなければならない。それが私の伝えたかったコメントである。

母子生活支援施設とフェミニストソーシャルワーク

レナ・ドミネリは「フェミニストソーシャルワーカーは、ソーシャルワークの構図にジェンダーの視点を位置づけることによって、専門的なソーシャルワークの理論や実践のこれまでの社会指標がジェンダー中立だと理解されてきたことを批判してきた」（Dominelli 2002＝2015: 25）という。

フェミニストソーシャルワークでは「女性の性と生殖に関する権利」（リプロダクティブライ

ツ）を中心に考えなければならない。これは女性を支援する現場に打ち込まれるべき一本目の杭である。

この女性のために妊娠を避ける方法や情報を伝えなければならない。男性とのセックスによって妊娠、中絶を繰り返した女性に一番、必要なものである。それがなされていれば、退所につながる妊娠を避けることもできたはずだ。

現在、緊急避妊薬を市販薬化し価格を抑えてほしいというプロジェクトがある。性交後72時間以内に服用すれば、高い確率で避妊できるという。それが薬局で安い価格で手に入ることで、この女性のような被害は確実に防ぐことができる（朝日新聞２０２０年10月14日朝刊「オトナの保健室：緊急避妊薬　市販されたら」）。

この記事では産婦人科医が「緊急避妊薬が容易に手に入りすぎると、じゃあ次も使えばいいやという安易な考えに流れることを心配している」と発言して大きな批判にさらされたと書かれている。その批判を受けて医師は「医療者は男性に向き合う機会がないまま、女性のみの健康を管理し指導しようとしてきた。省みるべきところがあるように思います」と語っている。

これと同じ反省が私たちにも必要である。先の事例にも男性本位のセックスの問題が集約されている。研修会の発言の中に「少し知的障がいも感じる」というつぶやきがあった。また別の資料にも「発達に偏りがあるかもしれない」とある。もしそうならなおさら女性の健康管理と、性的な自由と安全を守るために避妊の支援をしなければならない。それが喫緊の課題だった。

施設で過ごす濃い時間に、女性と目的を共有し関係の構築を目指した対話がプログラムとして行われなければならない。入所施設という現場を経験したことがない私には、それができるのが施設の強みに見える。「生活場面面接」という言葉があるように、一つ屋根の下で頻回に会うことが可能である。生活の細部や親子関係、日常的な行動を職員は知っている。その中でどのようにケースワーク関係を構築していくか、どれほど入所者を理解し把握していくか、「他愛無い話」の中から何をつかむかは、ソーシャルワーカーの鋭い感性と課題意識にかかっている。課題を確認しながら対話する時間と場所が施設にはある。

女性の問題を女性の立場から考えることがフェミニストソーシャルワークであり、その最前線にあるのが婦人保護施設や母子生活支援施設である。

逸脱した母親

母子生活支援施設は児童福祉法を設置根拠としている。すなわち子どもの福祉をめざしているのである。女性は母親としてこの施設の利用者となる。これまで母子一体という言葉は社会福祉のキーワードであった。子どもを産んだ女性は母になり、なにものにも代えがたい存在として価値づけられるとともに、ケアの全責任も負う。

マーサ・A・ファインマンは「母性こそ真の〝ジェンダー問題〟である」とフェミニズム法学の立場から述べている（Martha 2004=2009）。父子という言葉と比較すれば、母子の大きさ重さは圧倒的だ。「イデオロギー構造において、また実践においてフェミニズムは母性をどう扱うべきか？」というファインマンの問いかけは、母子生活支援施設をめぐるフェミニストソーシャルワークの最大の課題であるが、ほとんど手を付けられていない。

ある施設長は「単身の女性なら何をしても自由なのです。ただそこに子どもがいるから私たちは女性に関わっていくのです。どう考えますか」と問いかけてきた。また私の本の中では「あんた別にね。ひとりだったらここにはいられないわけだから。子どもがいるから保護してやっているんだよ。あんたひとりだったらダンボールで住もうがあんたの勝手だよ」という施設長の言葉もある（須藤：106頁）。どちらも児童福祉の立場から嘘がない。ここでは女性は母親であることで認められ、いい母親になることが目標である。

『母子寮と母子生活支援施設のあいだ』の「第二章　女性たちと母子寮——フェイクな生き方」でインタビューした女性は、夫との離婚後行き場がなくダンボールで暮らそうと思ったり、死に方を考えていたと語っている。そのため入所した時は老朽化した不便な施設でも、「こんないいところはない」と思ったという。

しかししばらくすると「常にいいお母さんを演じていなければならない」その「フェイクな感じの生活」に息苦しさを感じ、「自分を偽って生きている居心地の悪い生活だった」と語った。施設の職員の顔色を過剰に意識する自分を、「いい子」ぶって苦しかった子ども時代と重ねていた。

事例報告の女性についても、ひどい男性関係を断ち切り児童養護施設から子どもを引き取って、3人の子どもの母として頑張る「いいお母さん」のイメージが張りついている。母親は保育園に子どもを預けてパート就労をしながら、施設職員から家事や子育てについて学び、「いいお母さん」になることが退所の目標である。しかし、それは女性によって覆された。なぜならそれはとても難しいことだからである。

私は母性についてフェミニストソーシャルワークからの答えを求めて、「大阪2児置き去り死事件」を取り上げ、「『逸脱した母親』とソーシャルワーク――大阪2児置き去り死事件とフェミニズム」という論文を書いた（乙部・山口・伊里２０１５）。この事件は多くの人々の関心を呼び女性は懲役30年という重い判決を受けたが、この事件とつながる名古屋にいた私は、母親についてフェミニストソーシャルワークの立場から考察する責任を感じていた。

事件の概要は次のとおりである。20歳で結婚し2児を産んだ後、女性は3歳と1歳の子どもを抱えてシングルマザーとなった。名古屋にいるときからこの2人を部屋に残して風俗店で働き幼児が放置されていることから、警察が児童相談所に通報している。名古屋、大阪と移動したのちも、同じように風俗店が提供するマンションに子どもをおいて、女性は男性のところで過ごして家に戻らず、時おりコンビニのおにぎりやパンを持っていくという行動をとった。その結果子どもは餓死し白骨化して発見されたという事件である。

私はフリーライターの杉山春が書いた『ルポ虐待――大阪2児置き去り死事件』（ちくま新書、２００３年）や大阪地裁の判決文などをもとに論文をまとめた。事件のプロセスには児童相談所や婦人相談員などとの接点もあり、母子生活支援施設につながっていたらと思うが、結果としてソーシャルワークは「何もできなかった」というしかない。私は「大阪2児置き去り死事件は、ソーシャルワークの失敗であり敗北を示している」とその論文で言い切っている。

先に紹介した施設関係者が口にしたように「子どもがいないなら、女性に関わったり保護したりする必要はない、しかし子どもがいるからこそ介入せざるを得ないのだ」ということになる。言い換えれば子どもの母親という立場が女性の価値を生み出すということ。女性は切り捨てられる。女性は母性に置き換えられる。しかしフェミニズムは、女性に母性と女性性のどちらを選ぶのかと〝踏み絵〟を求めるジェンダーのイデオロギーを批判してきた。

ではフェミニストソーシャルワークはどのように考えるだろうか。ドミネリは「児童福祉分野において、子どもの利益を優先し女性の姿勢を批判する考え方は、女性解放と子どもの非抑圧に取り組むフェミニストソーシャルワーカーに難しい課題を提起している」という。しかし両者の利益を二項対立に捉えるべきではないと考えている。また子どもの利益を最優先して「望ましくない母親」というレッテルを貼ってしまうと、母親はソーシャルワーカーの介入を避けてしまうと危惧する。

大阪の事件の母親も法廷で、「自分は子どもを育てられないと思ったが、母親である以上そう言ってはいけないと皆から言われている」という気がして子どもを引き取ったと話している。実際には一度、名古屋で女性相談員に電話し「子どもを保護してほしい」と相談している。しかし紹介された児童相談所には電話していない。そういう自分を「悪い母親」だと社会が見ていることを女性は知っていたからである。

ファインマンはシングルマザーとは子どもという絶対的依存を抱える二次的依存者であり、母親役割を担う自立した存在と解釈すべきではないという（Fineman 1995＝2003）。実際、この女性自身が母親役割を担う力を与えられる養育環境を子ども時代に奪われていることを杉山の『ルポ虐待』は明らかにしている。両親の離婚や中学時代の集団レイプなど女性の背景を知ると、彼女をシングルマザーと呼ぶことさえためらう。

またドミネリはフェミニストソーシャルワークの立場から次のようにいう。

> 児童福祉の仕事は、女性の育児能力を監視しつつ児童を保護することに焦点が置かれがちであるが、むしろ先回りした戦略で、子どもの福祉をより積極的に高めることに重点を移す方向で考えなければならない（Swift 1995）。一般的な定義で〝クライエント〟を決めつけ、その人の育児能力に注目し、それを根拠にソーシャルワーカーが母親を母親らしくなるよう指導するやり方をやめるべきだといいたいのである。
>
> （Domineli 2002＝2015: 211）

この事件は私たちが母親という言葉に込める安易なイメージを検証しない限り、女性への介入はますます困難になり、それが子どもへの関与を妨げる壁になることを教える。フェミニトソーシャルワークは子どもと女性を分離しない。児童福祉と女性福祉という二本立ての発想を手放すことが必要である。母子生活支援施設は児童福祉施設ではない。フェミニストソーシャルワークの拠点なのである。

記録フォーマットが作り出す現実

さて、ここで少し視点を変えてみよう。事例報告を聞きながらあまり目にすることがなかった母子生活支援施設の配布資料のスタイル、すなわち文書のフォーマットに関心を持った。社会福祉のどんな分野でもそうであるが、記録を書き、また関連する資料を漏らさずケースファイルを作成することは必須条件である。医療におけるカルテと同様に、その施設や機関での業務実態を明らかにするものである。

私は福祉事務所で生活保護ケースの記録を長年書き続けた。個別のケースファイル一つひとつが生活保護受給の根拠を示すものであり、かつ家庭訪問した日付やどのようなやり取りがあったのか、その結果何が決められたのか、など簡潔に書くことが求められる。また記録の項目は生活保護法やその実施要領に規定されたものである。たとえば「他法他施策」とか「扶養義務者」、また「自立助長方針」など決められた項目に従って書いていた。記録は組織の稟議制の中で係長、課長、所長の決済を受け、さらに上級庁の監査も受ける。

そのために書く側も法律にもとづいた言葉で記述する。記録を書く時間は業務の大きな部分を占める仕事であった。しかしそのような枠組みの中に自分が見たり聞いたりした現実を落とし込むことは簡単ではない。逆説的だが書かれていないこと、書けない事実のなかに真実があると感じていた。

私が興味深くその資料を見た理由はもう一つある。数年前に1947年から1997年まで存続した婦人保護施設「生野学園」の研究メンバーとして、膨大な記録や資料を電子化する作業に加わったからである（平成30年科学研究費基盤研究B「婦人保護施設から見た戦後日本女性の貧困――貧困概念の再定義にむけて」研究代表古小保さくら）。40年近い歳月の中で残された施設の記録は膨大でかつ一部は古文書のように朽ちかけていた。それらの記録はまだ十分に研究資料となっていないが、貴重な研究データになるだろうと思っている。*1

その1947年ごろの売春防止法に基づく「婦人保護台帳」は、「名前」や「年齢」、「本籍」や「住所」、「家族状況」の次の「本人の経歴」に、「顛落《てんらく》期間」「保護回数又は検挙」という項目がある。また「心身の状況」には、「性病」「初潮：初交」の年齢、「性的素質」など性的行為に関する項目もある。

さらに「顛落に至る経路」には「動機別」欄に、「戦災・引き揚げ、生活苦、家出、誘惑、好奇心（虚栄）、その他」という言葉があり、そのうちのどれかを○で囲むようになっている。「顛落」という言葉は「婦人保護要領」にある「転落防止」であり、「要保護女子」「保護更生」などは売春防止法の条文にある。

記録のフォーマットは、このように施設の法的根拠や役割、時代状況を示す興味深いものであることを、私は生野学園の研究で知った。大げさにいえば、この記録用紙によって女性は売春婦に生成されるといってもいい。フーコーがいうように記録は客体を生成する一種の権力作用ともいえよう。この「婦人保護台帳」は施設職員によって書き込まれ、動機に丸が付けられて残され、当事者が目にすることはなかっただろう。

その研究メンバーのひとりから紹介されたのが『現代の知がもたらす記録という所産（*DOCUMENTS Artifacts of Modern Knowledge*）』という人類学の本である。その中に「開かれる記録：Documents Unfolding」というパプアニューギニアの刑務所の記録を取り上げた、リード（Reed Adam）の論文がある。普通このような公的機関で使われる書類は、個人のプライバシー保護と機関の役割から、関係者以外が目にすることは難しい。また刑務所の記録用紙に関心を持つ人も少ないだろう。生活保護のケースファイルと同様にある年数が過ぎれば廃棄されるかもしれない。また、多くの記録は封印されたままになる。

このリードの論文について少しだけ紹介しておこう。リードもこの中で文書は単なる道具ではなく、客体を生成しかつ具体化する責任を有する道具だというフーコーの示唆を引用している。

また刑務所の看守にとって、文書のすべての項目を記入するのは時間がかかりかつ退屈な作業だろうと推測している。そのため刑務所の文書には「年齢」「名前」「性別」などでさえ空白のままのものもあったという。７００人もの囚人が収監されているパプアニューギニアの刑務所なら無理もないだろう。

興味深いのは刑務所の記録用紙には囚人自身が「自著」する文書があることだ。それには「好きな食べ物」「好きな女性」「親友」「愛する人」「仲間」「復讐」「嫌いなもの」「最悪な出来事」「最も幸福な出来事」などさまざまな項目が並んでいる。しかもこの「自著」の文書は彼らが刑務所を出るとき渡されるお土産なのだという。「婦人保護台帳」とは別に刑務所のように女性たちに「自著」の記録を求めたら何が書き残されただろうか。しかしそのような機会はなく、ケースファイルの多くは「無断退所」で終わっていた。

この「婦人保護台帳」も、時代とともに転落や動機、性的素質など初期の言葉は消えていく。当時「初潮：初交」が売春とどのように関連するのか、それに女性がどう答えたのかわからないが、売春をめぐる社会状況の変化が項目の変更を余儀なくさせたと考える。

この記録用紙が示すものは売春防止法の女性観であった。それを宮本節子は次のように書いている。「売防法が認識する売春する女性の課題は総じていえば、売春を行う女子個人の性道徳観や行動特性、性行に矮小化され、それゆえにその女子個人の行動処罰、矯正また更生に力点が置かれるということだ」（宮本 2013）

私が配布された資料の内容以上にフォーマットの項目に関心を持ったのは、このような理由からである。

ソーシャルワークと記録――記録の中の家族

ソーシャルワークの記録について木原活信は「利用者の処遇に役立たせるとはいうものの、そこには記録する者と記録される者という権力構造が如実に存立している」という。またフーコーを援用して次のようなハートマンの言葉を紹介する。

知と権力とは再帰的な関係にあり、権力を有する側の言説や声が結果的に支配的となり、真実とみなされるのに対して、権力を有さないものの言説は周辺に追いやられ、征服されてしまう（Hartman 1991: 275）。

（木原　２００５）

ちなみにアン・ハートマンはエコマップを考案したソーシャルワーカーである。事例報告で配布された次ページの資料「家族の状況」は日ごろから事例検討などで使われる文書フォームだ。事例の情報が一枚に整理されて包括的に把握できる。ソーシャルワーカーの業務では、ケース診断会議やカンファレンスで、似たような形式の簡略な文書フォームあるいはフェースシートを使ってきた。ジェノグラムやエコマップは、ソーシャルワークの記録では不可欠である。ジェノグラムは家族状況を、エコマップは社会資源やケースを取り巻く関係者を視覚化している。

ここで私はフェミニストソーシャルワークの視点から、記録内容ではなくその文書フォームを読み解いてみた。目についたのは「家族の状況」以外に「虐待の有無と内容」「保護者と子どもの関係」「家族の機能」や「家族の文化、価値観」「家族成員の特徴、成育歴および家族関係」などすべてに「家族」が入っていることである。

母子生活支援施設では家族として母子がドアの中に生活の場を持つ。施設でありながらその内部のプライバシーはかなり配慮されている。母子生活支援施設は玄関を共有する一つの建物であ

家族の状況

家族の状況

ジェノグラム	続柄（主たる養育者に◎）	氏名	年齢	職業や所属	障害や疾病	趣味など

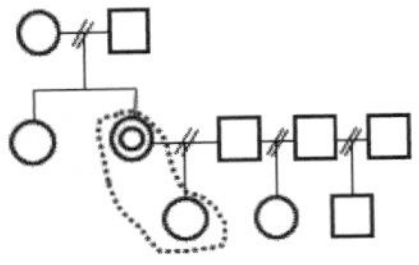

虐待の有無と内容

保護者と子どもの関係

経済状況と住環境

家族成員の特徴、成育歴、および家族関係

家族の機能

家族の文化、価値観

本人の希望

エコマップ

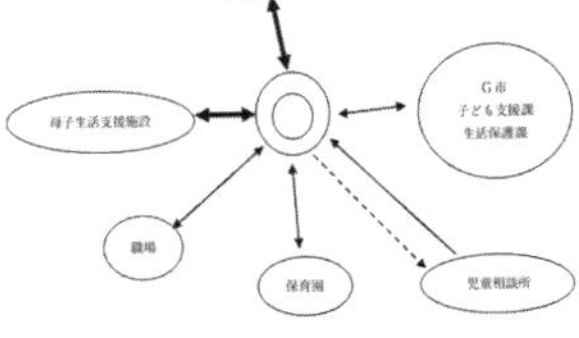

その他の特徴

※ 当日の資料のうち、ジェノグラム、エコマップのみ掲載。

るが、その中に個別の住空間がありアパートが内包されたような構造を持つ。今では古い母子寮時代のように調理場や入浴施設などが共同の施設は少ないだろう。したがってその家族の独立性は高い。それが家族のリアリティを強めている。ドアを閉めてしまえば、アパートと同じである。
そして、母子生活支援施設であるから、家族は基本的に母親と子どもになる。ただ私が疑問を持ったのは、この記録にはジェノグラムやエコマップというソーシャルワークが求める基本的な情報はあるものの、「家族」「保護者」「家族の文化、価値観」「家族の機能」など、家族という概念にジェンダー情報がまったくないことである。すなわちこの項目からは母親と子どもという構成の家族生活の特性やライフスタイルあるいはそこにある困難な課題などは見えてこないのである。

私たちはきわめて保守的で固定的な家族観に囚われている。シングルマザーの親子をそのまま家族というとき、私たちは社会が持つ家族定義から解放されていない。自分が経験した家族観に縛られている。そこに気づかなければならない。母親である女性と子どもという親子を家族というとき、柔軟で多面的な視点で新しい家族を脱構築する必要がある。

母子生活支援施設の物理的構造に言及したのは、母子生活支援施設の調査でドアの中の母子を家族と考え、プライバシーや独立性を強調することがもたらす問題を見たからである。たとえばドアの中で母親とともに子どもが喫煙していたり、虐待や暴力があったりしても家族だからと介入をためらう職員のジレンマを聞かせられたからである。また施設からいなくなった女性の部屋のボストンバックに生後3か月の乳児の遺体があったという最近の事件（「板橋区施設に乳児遺体、母行方不明─警視庁：時事ドットコム」２０２０年2月7日）も、母子生活支援施設の物理的構造の難しさを教えている。ドアの内と外のつながりは極めて複雑である。

母子世帯が母子福祉として社会福祉の対象となった背景には、歴史的には戦争による死別母子の救済が大きかった。「屋根対策」という言葉があるように、ともかく雨風をしのぐ母子の居場所としてさまざまな建物を母子寮に転用したという。それが今のような独特な構造を持つ施設として存続してきた。日本独自の母子福祉施設だともいわれる。

ただ社会福祉学の研究者一番ヶ瀬康子は日本独自のものという言葉に対して、『女性解放の構図と展開──自分史からの探求』（ドメス出版、１９８９年）の中で次のように批判している。

１９３７年の「母子保護法」がすでに「『人的保護』である児童保護への傾斜を含んでの譲歩」だったと、母子寮の始まりを女性の立場から考えている。また母子寮史について「軍人遺家族に関する母子寮」は軍国主義に組み込まれており「運営自体が、〝軍国の母〟のためのものであり、あくまで女性を子どもの母としてのみとらえ、〝後家〟を保護するという、家族主義的な管理施設であり、上からの統制の末端としていわば閉ざされた施設運営であったといえよう」（２８４頁）

「後家アパート」と呼ばれ戦争で夫を失った母子世帯のための母子寮は、戦後しばらくたつと離婚による「生別母子」の施設になった。しかし死別母子であろうと生別母子であろうと、母子世帯はあるべき家族から逸脱した家族としてスティグマを負わせられてきた。それが証拠に、福祉事務所の相談窓口に離婚して行き場がない女性が生活保護の相談に来たとき、離婚することへの処罰のようにアパート入居ではなく、母子寮入所を条件とするインテーク面接を目にしたことがあった。

「シングルマザー」と英語に言い換えても、母子家庭、母子世帯という家族定義からの差別的な現実が変わるわけでない。この記録用紙は、私たちが家族という言葉をどのように理解しているのかという自己覚知の作業を求めているように私には見えてきた。家族定義から解放されない限り、母子世帯への偏見はぬぐわれない。ジェンダーから再定義したとき、家族はどのようなかたちに生まれ変わるのだろう。

ジェンダーを位置づけた家族

鶴野隆浩は「家族福祉論を通して、ジェンダーを社会福祉学に位置づける」ことを考察した（鶴野２０２０）。「家族は第一級の福祉集団である」（森岡清美）という言葉があるように、家族とは社会福祉政策や制度以前にそれぞれの福祉を実現する社会単位とされてきた。したがって家族がいれば家族に任せ、そこから外れた子ども、女性、高齢者、障がい者が社会福祉の対象者とされてきた。全体としての家族を支えればその中で問題は解決されると考えて、家族集団を援助する「家族福祉」という概念があったと鶴野はいう。

しかしこの家族という集団は現実的にも理論的にも大きく変貌した。特にフェミニズムから「家父長制」という家族内部の構造が示され、それによって抑圧される女性や子どもの問題が明らかになると、私たちは単純に家族という言葉を使うことはできなくなった。家族の中にある虐待や性的被害そしてDVは、家族はけして幸福で安全なものではないことを示している。家族の内部のこれらの事実を一番知っていたのはソーシャルワークである。しかし家族を第一級の福祉集団とみなしてその責任を求め続けてきたために、この問題を提起できなかった。

そのため夫からの暴力について相談しても、夫婦喧嘩と言い換えて返す現実は長く続いてきた。個人を救うよりも家族集団を守ることを役目としたのである。そのため子どもの保護や分離についても慎重だった。伝統的家族を家父長制の視点に立ち女性や子どもの立場から検証するという実践はされてこなかった。

しかし今、子どもへの虐待やDVが母子生活支援施設で母子を受け入れるキーワードになっている。その元凶に家族という単位があるとするなら、家族は安易に使える言葉ではない。「家族の状況」「家族成員の特徴、成育歴、および家族関係」「家族の文化、価値観」「家族の機能」という記録のフォーマットは、私たちに家族イデオロギーをさらに刷り込むことになる。DV被害から逃れてくる女性や子どもだけでなく、高齢者や障がい者のケアをめぐっても家族イデオロギーからの脱却はできていない。家族という集団があり、それを補完するものが社会福祉であるという思想はそのままである。

虐待やDVをキーワードするならば、家族という言葉をいったん手放す必要がある。鶴野は

「近代家族モデルから個人尊重モデルへの転換とは単なるモデルの転換ではなく、モデルの存在自体を問うことになる」という。また「個人尊重家族の理念の先には、家族の定義はその個人それぞれの世界があり、それは家族という言葉をあえて使う必要もない世界かもしれない」と考える。

母子生活支援施設がそこに住む子どもと母親を「家族」と捉えるとき、常に「普通の家族」にどうしたらなれるのかと問いかけることになる。鶴野の言葉に戻れば「家族福祉論のように『家族』から出発するのではなく、『家族の機能』として位置づけられてきたものをまずはいったん社会に位置づけてみて、そこから家族のような親密な関係をどのように保障するか（あるいは親密な上の暴力性からいかに解放するのか）という展開になる」だろう（鶴野２０２０：１２６頁）。

家族イデオロギーは施設だけでなく入所している子どもや女性も含め社会全体が共有している。事例で男性との復縁と妊娠が退所のきっかけであったことは、周囲に倣って家族を再形成しようという女性の意欲の表れと解釈することもできる。家族イデオロギーを手放すことは大変な作業である。問題を抱えた家族に育つほど、「理想の家族」「幸福な家族」への強い渇望を抱えているからである。ソーシャルワーカーとして私はこの渇望に触れてきた。

熱い心と冷静な頭

母子生活支援施設に「フェミニズムの杭を打ち込む」ために多くの言葉を費やしてきた。そして言葉や理論でなく、どうしたらいいか事例検討の場に戻って考えてみた。前にも書いたように私の力不足で担当者の苛立ちや怒りなど、女性の思いがけない事態への感情的な反応を引き出せなかった。「元に戻ってしまった」と思うその悔しさは吐き出されなければならない。それによって何を目指していたのかが見えてくる。それがどのようなものか議論できる。そうしなければ私たちは前進できない。

報告を聞き終わって私の口から忘れていた「フェイク」という言葉が出た。それは母子寮に入っているとき「フェイクな生活」に苦しんだという女性の口から出た言葉である。フェミニズムは社会が押しつけてくるフェイクな女性観を批判してきた。女性の苦しみを救うためには、私たちが勇気をもって自分の中にある感情と言葉をさらけ出すことだ。

フェミニズムの杭は地表を柔らかく耕さない限り打ち込むことができない。女性たちが母子生活支援施設で暮らす時間が、女性や子どものこれまでの生き方を振り返り変革しかつエンパワーされる経験になってほしいと私たちは考える。

ドミネリは著書の最後に、フェミニストソーシャルワークの原則を12も並べている。たとえば「女性の多様性を認識する」「女性の力を尊重する」あるいは「女性は自分のどんな局面においても、自分自身で決める力を持つ行動的な主体であると考える」などである（Dominelli 2002=2015: 315-316）。これはフェミニズムの原則であり、私たちのための原則である。この原則に男性も引き込まなければならない。ドミネリの本の4章は「男性に関わる」である。男性を排除しないで視野に収めて考えるのがフェミニストソーシャルワークである。

ソーシャルワークには強いパッション、熱い感情が必須である。それを整えるのが知識や理論である。熱い心と冷静な頭、これは古くからソーシャルワークで言われてきた決まり文句である。

【注】

＊1 研究は祖母が生野学園の施設長だったというディレクターによって「踏まれた草にも花が咲く——祖母と戦争と女」（ＮＨＫＢＳプレミアム２０１５年12月13日）で紹介された。

【参考文献】

◆外国語文献

Annelise Riles. *Documents:Artifacts of Modern Knowledge*, University of Michigan Press, 2006.

Butler, Judith. *Gender Trouble:Feminism and the Subversion of Identity*,Routledge,1983.（竹村和子訳『ジェンダートラブル——フェミニズムとアイデンティティの攪乱』青土社、１９９９年）

Dominelli, Lena. *Feminist Social Work Theory and Practice*, Palgrave macmillan, 2002.（須藤八千代訳『フェミニストソーシャルワーク——福祉国家・グローバリゼーション・脱専門職主義』明石書店、２０１５年）

Fineman, Martha Albertson. *The Neutered Mather,The Sexual Family And Other Twentieth Century Tragedies*, Routledge,1995（上野千鶴子監訳、速水葉子・穐田信子訳『家族、積みすぎた方舟——ポスト平等主義のフェミニズム法理論』学陽書房、２００３年）

Martha Albertson Fineman. *The Autonomy Myth,A Theory of Dependency*,The New Press, 2004.（穐田信子・速水葉子訳『ケアの絆——自立神話を超えて』岩波書店、２００９年）

Schön A. Donald. *The Reflective Practitioner: How Professionals Think in Action*, Basic Books Inc, 1983.（佐藤学・秋田喜代美訳『専門家の知恵――反省的実践家は行為しながら考える』ゆみる出版、２００１年）

◆日本語文献

一番ケ瀬康子『女性解放の構図と展開――自分史からの探求』ドメス出版、１９８９年

須藤八千代「『逸脱した母親』とソーシャルワーク――大阪2児置き去り死事件とフェミニズム」（乙部由子、山口佐和子、伊里タミ子編著『社会福祉とジェンダー　杉本貴代栄退職記念論集』ミネルヴァ書房、２０１５年）

木原活信「自分史と福祉実践――対抗文章としての記録（ナラティヴ・リコード）について」（『ソーシャルワーク研究』31（3）、２００５年）

杉山春『ルポ虐待――大阪2児置き去り死事件』筑摩書房、２００３年

須藤八千代『増補　母子寮と母子生活支援施設のあいだ』明石書店、２０１０年

鶴野隆浩「家族福祉論を通して、ジェンダーを社会福祉学に位置づける」（横山登志子・須藤八千代・大嶋栄子編著『ジェンダーからソーシャルワークを問う』へウレーカ、２０２０年）

長谷川眞人・神戸賢次・小川英彦編著『子どもの援助と子育て支援――児童福祉の事例研究』ミネルヴァ書房、２００１年

宮本節子「差別、貧困、暴力被害、性の当事者性――東京都5施設の実態調査から」（須藤八千代、宮本節子編著『婦人保護施設と売春・貧困・DV問題――女性支援の変遷と新たな展開』明石書店、２０１３年）

column

『礼拝会の教育学――愛、解放そして出会いの体験』

モニカ・ヒホン・カサーレス著、藤田優香訳（聖体と愛徳のはしため礼拝修道女会、2017年）

礼拝会　藤田優香

2013年に礼拝会の総本部（ローマ）は修道会の教育学を体系化させるプロジェクトをスタートさせた。その経緯を「この教育学の中心に据えられているまなざしを可視化させ、修道会レベルで『愛の教育学』を調和させることによって礼拝会のカリスマ（神の恵みの賜物）とその教育学的文化の結びつきを強くする。なぜならば礼拝修道女会の歴史は同時に人権回復の教育学の歴史でもあるからだ。また、その結果21世紀に修道会に差し出されている挑戦にめいっぱい大胆に応えることを可能にさせてくれるだろう」と著者のモニカ・ヒホン・カサーレス（バルセロナ大学教育学部准教授・礼拝会のボランティア）は述べている。著者はその奉仕に身を置き、女性たちや専門職等にインタビューし、礼拝修道女会に関する養成の場に参加して材料を集めそれらを分析した。そして、礼拝会の教育学の様式を養い、意味を与えているスタイルの特徴を「愛・解放・出会い」という三つの価値の領域に分類した。これらの価値は礼拝会の使徒職現場に必ず存在する「文化（家訓）」として息づいている。「愛」は、創立者聖マリア・ミカエラ（以下ミカエラ）の聖体への熱烈な愛の表れである「礼拝」と繋がっており「歓待・心遣い・承認」というダイナミズムを持っている。「解放」は、ミカエラの貧しさや不正義に対する預言者的な感受性と繋がっており「自分自身を見ること・自分自身を律すること・意味づけすること」というダイナミズムを持っている。そして「出会い」は、ミカエラの女性たちとの出会いの近さである教育学的感受性（女性たちと共に住み彼女たちのストーリーに深く共感する力）からきており「エウカリスチア（ミサ）」と繋がっている。また「出会い」は「プロセス・体験・関係」というダイナミズムを持っている。それらを私の使徒職現場（シェルター）での具体的体験を通して簡単に説明したい。

①支援の根底にあるもの〜愛〜

コロナの外出自粛の折、性暴力を受けて妊娠した20代のCさんが福祉事務所を通してシェルターに来られた。彼女は1日に何回か裏庭でタバコを吸っていた。夜の喫煙タイムが終わると「話を聴いてほしい」と言われるのが常だった。小さいころから家族より虐待を受け両腕には無数のリストカットの痕があった。ある時私は裏庭に可憐なピンクのバラが咲き始めているのに気が付いた。彼女はタバコを吸いながらいつもそのバラに話しかけてくれていたようだ。しかし花やモノに話しかける彼女を家族は「気持ち悪い！」と一蹴していたという。「ここに来る前はシェルターって聞いて、窮屈な施設をイメージしてたの。でもね、ここへきてみたら、お花畑でしょ。そして住んでいる人たちの頭の中にもお花が咲いているみたいで。ここだけ宙に浮いているみたい！」というコメントをいただき、「ある種の本質をついているなあ」とうれしくなった。私たちは生活の中で、神様や家族、姉妹からいただいてきた「あたりまえ」を女性たちに返していく。朝起きたら「おはよう」と声をかけ、食事の準備をして一緒に食卓を囲み、おうちをお花で満たす。「愛の体験」は「礼拝の体験」だ。それはつまり「存在を受け入れ承認する」こと。私たちのすべてを知っておられる主はどんな状態の私をも礼拝の中で受け止め支えている。だから私たちも主とともに彼女たちの痛みを感じ受け止めていく。私たちの創立者聖マリア・ミカエラにとって「礼拝するとはもうひとつの見方で世界と生活を観ること」だった。礼拝は独特の方法で「女性たちの解放と向上」の実践の中で私たちの使徒的働きを目指す方向へと実現していく。

②支援の根底にあるもの～解放～

コロナ禍で3度目の「DV→離婚」を迎えたTさん。ご一緒に自分自身の「生きづらさ」を見つめていく中で、自身の発達障がいに気が付き、専門の医療機関や発達障害者支援センターへも通い始めた。しかしそれらの受診はひと月に1回か2回。生活習慣を変えるために「私たちと共に住んでいる」という環境を生かして生活のルールを一緒に組み立てた。彼女の希望で必ず寝る前には聖堂でその日のふりかえりと面談をして1日を終えている。この生活リズムを続けていくうちに、彼女は「実はこの障がいが自分自身を助けていた」面があったことを知り、すべてを「周り」に合わせる必要はないのではと思い始めている。これが礼拝会の「解放」の一つの側面。もう一つは「不正義の告発としての解放」だ。ある地方のシェルターではその地域のいくつかの民間シェルターと連携して毎年行政へ申し入れを行っていた。また現場で知った彼女たちの苦しい胸の内、立ちはだかる「習慣」や「普通」という壁の高さを代弁していく。それは「自分の感受性に責任をもつ」という創立者聖マリア・ミカエラの姿勢だった。

③支援の根底にあるもの〜出会い〜

「出会いのシンボルはコムニオン（聖体拝領）。出会いは『愛』と『解放』を活性化させる原理」（『礼拝会の教育学』）。出会いがかなわなくなったコロナ禍の中で、SNSの「神待ちサイト」で出会った神（＝男性）を頼って北の国からきた17歳のAちゃんがシェルターに入所した。彼女との生活は、時間帯、考え方、SNSの使い方などあらゆる面で私たちの生活を揺るがした。私たち自身が（恐らく彼女も）変容されないではいられなかった。私たちは女性たちの現実に心動かされ共感しながら同伴する。彼女たちの選択が理解できなかったり、同意できなかったりする状況の時でさえ。そのために、私たちは「本当に信頼できる存在」であることや、いわゆる「教科書に書かれていること」からも離れることを要求される。疎外の状況におかれた女性たちの現実に身を置けば、彼女たちの夢や強さと同様に傷や失望も理解できる。それは、彼女たちの「ものがたり」に近づくことで、共にいて希望を持って幻想や疑念を分かち合うことを可能にするのである。時に連日SNSや対面でつらいお話を伺っていると、心身に代理受傷の兆候が出ていることに気が付く。自分自身が厳しい状態になった時にあずかったミサで、「打ち砕かれた心を癒すために遣わされた主よ　あわれみたまえ」という言葉を聴いた、その瞬間に自分自身と彼女たちの痛みのすべてを意識的に捧げ、復活の恵みを願っている自分と出会った。

礼拝会の霊性は苦しんでいる女性の解放の体験のプロセスを通して深められていく。それは同時に私たちも共に苦しみの体験があり、ともに解放されていく体験だ。神の前には支援者も被支援者もなく同等にイエスの解放が必要なものなのだ。

カサ・デ・サンタマリア年表

西暦（元号）	施設の主な動き	法制度の施行・改正、社会の主な動き
1955年（昭和30年）	・礼拝会国際部インターナショナルスクール・幼稚園　開校	・児童福祉法制定（1947年） ・売春防止法制定（1956年） ・母子福祉法制定（1964年）。1981年に母子及び寡婦福祉法に名称変更。2014年に母子及び父子並びに寡婦福祉法に改称。
1985年（昭和60年）	・礼拝会は4階部分に ・女性シェルターミカエラ寮開設（9月）	
1991年（平成3年）	・インターナショナルスクール・幼稚園廃止	
1996年（平成8年）	・社会福祉法人礼拝会カサ・デ・サンタマリア設立（3月） ・横浜市母子寮緊急一時保護事業（横浜市モデル事業）委託（9月）	
1998年（平成10年）	・「母子寮」から「母子生活支援施設カサ・デ・サンタマリア」に名称変更	・児童福祉法改正（1997年、施行は98年） ・措置制度から契約制度へ（2000年） ・児童虐待防止法成立・施行（2000年）
2001年（平成13年）	・個別支援計画 ・心理士の配置開始	・配偶者からの暴力の防止及び被害者の保護に関する法律（DV防止法）成立・施行 ・横浜型児童家庭センター事業
2002年（平成14年）	・礼拝会フィリピン体験学習参加（1名） ・資生堂児童福祉海外研修アメリカ研修参加（1名）	・母子家庭等自立支援対策大綱（母子生活支援施設や住宅等自立に向けた生活の場の整備）
2004年（平成16年）	・夏休み子ども昼食提供開始 ・被虐待児自立促進事業（冬キャンプ）の導入	・児童虐待防止法改正 ・児童福祉法改正 ・DV防止法改正
2005年（平成17年）	・被虐待児自立促進事業（モンテッソーリー教育）の導入	
2006年（平成18年）	・夕食提供開始 ・礼拝会イタリア・スペイン研修	

2007年（平成19年）	・礼拝会カンボジア研修 ・礼拝会ＮＰＯ法人女性の支援レナセール」体験学習参加 ・退所支援事業開始アフターケア専任職員雇用 ・フラダンス同好会立ち上げ	・母子生活支援施設協議会倫理綱領策定 ・児童福祉法改正（２００８年施行） ・児童虐待防止法改正（２００８年施行） ・ＤＶ防止法改正（２００８年施行）
2008年（平成20年）	・外国につながる母子世帯が30パーセントを占める	・リーマンショック ・児童福祉法改正（２００９年施行）
2010年（平成22年）	・鯉渕記念母子福祉助成事業「外国につながる子どもへの支援」研究開始 ・礼拝会大陸別中間組織 チーム会議出席（インド・コルコタ開催） ・マインドフルネス導入	・大阪２児置き去り死亡事件
2012年（平成24年）	・ＮＰＯ法人３ｋｅｙｓによる個別学習支援を導入	・東日本大震災（２０１１年） ・児童福祉法改正（２０１１年成立、12年施行）
2014年（平成26年）	・礼拝会イタリア・スペイン研修参加（２名）	・ＤＶ防止法改正（２０１３年成立、14年施行）
2015年（平成27年）	・フラワーアレンジメント・茶道導入	・川崎市中学生殺害事件
2016年（平成28年）	・妊娠期支援事業開始（委託）	・特定妊婦アウトリーチ ・社会的養育推進策定、計画ビジョンの実現 ・ベビーシッター２児殺害事件 ・児童福祉法改正、児童虐待防止法改正（２０１７年施行）
2018年（平成30年）	・食育の一貫としてパン教室導入 ・癒しプログラムとして深層リンドレナージュ導入	・千葉県野田女児虐待死事件
2020年（令和2年）	・施設長がＦＭ大和局「やまもりホットスクランブル」に出演し母子生活支援施設について広報する	・蒲田３歳児置き去り餓死事件 ・板橋区母子生活支援施設にて18歳母が３か月乳児死体遺棄 ・児童福祉法改正 ・新型コロナウイルス感染症拡大
2021年（令和3年）	・ミカエラ寮、閉鎖	・東京オリンピック・パラリンピック開催 ・新型コロナウィルス感染症の影響続く

おわりに

このたび、多くの方々のご尽力により、本書を出版できたことは職員一同の大きな喜びです。

カサ・デ・サンタマリア創立後の5年、10年の節目にはいつもその期間の「まとめ」を作りたいと願いながらも、日々の業務に明け暮れ、年の事業報告が精いっぱいという状況で実現することができませんでした。しかし、1年の活動実績を踏まえた評価から次年度の事業計画を立てて実践し、報告書として残すだけでは施設の進展や変化がとらえにくいと思っていました。少し長い期間で振り返れば、活動のあり方と成果や課題、そして施設の体質のようなものが、線グラフや動画のように明確になり、施設の恒常的な状況が把握できて、未来に向かってよりよい方針や計画を立てるために役立つのではないか。また、職員にとっても自らの実践を書くことによって、目標とその結果がどうなったのかを自身で把握でき、しかもそれを職員間で共有でき、そこに新しい発見もあり、組織として力をつけられると考えていました。

本書を作成するために、わたしたちは職種ごとに実践してきたことを言語化しました。それによって25年間を一つのまとまりとして視覚化し、この間の活動とその成果、事業を取り巻く社会情勢、そして職員個人の感情も吐露して、カサ・デ・サンタマリアという一つの有機体の特性をわたしたち自身が知ることができました。

じつは当初、本書は非売品の記念冊子として出そうと考えていました。しかし、記念冊子の企画を考える過程で、本という形にして多くの人に手に取っていただきたいと思うようになりました。その一番の目的は「母子生活支援施設のこれから」を広く世に問いたいと考えたからです。

現在の母子生活支援施設の最大の課題は入所者の減少です。

女性の貧困、母子の貧困、DVなど女性や子どもをめぐる状況は深刻化していて、悲惨なニュースは後を絶ちません。それにもかかわらず、どうして入所者が少ないのでしょうか。自分から役所に相談しなければ福祉サービスが受けられない日本にあって、困窮し苦しみ悩みながらも公的機関に相談しようとしない女性に、どうしたら母子生活支援施設の持つ専門的なサービスが届くのでしょうか。役所に来た人だけを掬い上げ、施設につなぐという現行システムだけでよいのでしょうか。わたしたちも、支援が必要な母子と行政のかけ橋になることはできないのでしょうか。

未来に向かってのカサ・デ・サンタマリアの課題としては、本当は母子生活支援施設を必要としているのにつながっていない女性たちとの接点をどこで持つのか、インケアの充実に向けての研究、最近行っていない新たな取り組みのへのチャレンジです。専門家の力を借りながら現状にメスを入れ、社会情勢への対応、施設内の規則の見直しが必要です。母親規範や自立についての考え方、スマートホンの取り扱いなどルールの見直しも要求されています。なぜなら、創立からの四半世紀の間に、当然のことながら社会状況も人々の生き方も大きく変化したからです。

本書の原稿を書きながら、25年間にあった出来事や利用者さんのことを思い出していました。開設まで、多くの母子がミカエラ寮で待機していましたが、その中にはミカエラ寮で生まれた赤ちゃんがおり、この子たちはもう25歳になっています。やんちゃで少年院や鑑別所にお世話になっていた子が立派なお父さんになって、子連れで来て職員の加齢を労わってくれる場面もあります。高学歴で立派な資格も持っており、しっかりした実家があっても、ＤＶで追跡があり公的な支援を受けなければならなかったお母さん、行先を言われずに来て、部屋に案内されて安堵したとたん、母娘で抱き合って泣いていた少女、バイク事故で即死してしまった元やんちゃくん、嵐のコンサートには連れて行ってあげられなかった無脾症候群で死亡した17歳、母子分離になった子どもたち、施設長を「店長さん」と呼んでいたヤンママ、お茶の稽古で神妙に両手をついて挨拶していた腕白坊主たち……。

神様が連れてきてくださった一人ひとりとの真剣な関わりは、わたしたち支援者の心と頭を揺さぶり、もみほぐし、自尊心をぶち壊しながら、数知れないほどの価値観、生き方、選択方法があることを学ばせてくれました。時にはやるせなさや悔し涙とともに。多くの方々との出会いを心より感謝し、わたしたちの心配りや力が足りなかったことをお詫びします。

夜、屋上から見渡す限りの家々の灯を眺めながら、カサ・デ・サンタマリアを通過して行かれた方々を思い、幸せを祈っています。

本書を単なる記念誌としてではなく、一冊の本として出版することを提案し編者として加わり、ふだん文章を書きなれていない職員たちを励ましてくれたのは須藤八千代さんです。須藤さんのつながりで母子生活支援施設を研究している武藤敦士さん、横山登志子さんも執筆陣に名を連ねていただけることになりました。またコラムを執筆していただいた建築家の藤木隆男さん、礼拝会のシスター藤田優香さんにもお世話になりました。御礼を申し上げます。そして出版を引き受けていただいたヘウレーカの大野祐子さんにも心より感謝申し上げます。そのほかここにお名前はあげませんが、さまざまな方にご協力いただきました。ありがとうございました。

わたしたちは本書が、利用者になるかもしれないお母さんのみならず、母親と子どもに関わる方々、社会福祉や行政の方々の目に留まり、母子福祉の充実に向けて、現在の困難を打ち破るきっかけとなる小さな石となり、協働の波紋が広がっていくことを心から願っています。

２０２１年10月

宮下慧子

清水石道子（しずいし・みちこ）　元アフターケア専任職員
2014年にカサ・デ・サンタマリアを離職。現在は起業し、多文化・多言語環境で働いている人々に「ことば」の視点を活かすコンサルティングとサービスを提供している。また、日本語を外国語として教えるノウハウを活かし、地域の子どもたちに「言語学習の入口に立つための学びの場」作りにも挑戦。大切にしている精神は「我と汝」の馬のたてがみ。

武藤敦士（むとう・あつし）　高田短期大学子ども学科助教
博士（社会学）、社会福祉士、精神保健福祉士。母子生活支援施設の少年指導員、同朋大学社会福祉学部非常勤講師などを経て、2016年から現職。主な著書に『母子生活支援施設の現状と課題』（単著、みらい、2020年）、『社会福祉研究のこころざし』（共著、法律文化社、2017年）など。

横山登志子（よこやま・としこ）　札幌学院大学人文学部教授
博士（社会福祉学）、精神保健福祉士。メンタルヘルス領域のソーシャルワーカー経験を有する。専門はソーシャルワーク理論で、近年はDV被害やトラウマを抱えるシングルマザー支援のフィールドワークと質的研究を行っている。主著は『ソーシャルワーク感覚』（単著、弘文堂、2008年）、『ジェンダーからソーシャルワークを問う』（編著、ヘウレーカ、2020年）など。

須藤八千代（すどう・やちよ）＊　愛知県立大学名誉教授
著書に『増補母子寮と母子生活支援施設のあいだ』（明石書店、2010年）、『婦人保護施設と売春・貧困・DV問題――女性支援の変遷と新たな展開』（編著、明石書店、2017年）、『ジェンダーからソーシャルワークを問う』（編著、ヘウレーカ、2020年）など他多数。

〈執筆者紹介〉執筆順。＊は編著者

宮下慧子（みやした・けいこ）＊　社会福祉法人礼拝会 理事長
1966年カトリック礼拝会に入会し、女子学生寮や幼児教育に従事。1993年緊急一時保護施設ミカエラ寮勤務。1996年母子生活支援施設カサ・デ・サンタマリアの開設時より2017年3月まで施設長を務めた後、2021年3月までミカエラ寮寮長。趣味は蓮の花を咲かせること、地域猫との会話。

細木典子（ほそき・のりこ）元母子支援員
宮城県出身。大学では障害児教育を専攻。卒業と同時に結婚し、神奈川に移り住む。サンタマリア開所から通算17年間勤務。途中8年間は施設を離れて東日本大震災被災地支援などに従事した。2021年3月退職。

寺田有市（てらだ・ゆういち）　副施設長兼母子支援員
東京にある隅田川東部の病院にて出生。自然豊かな場所で育ち大学卒業後1998年カサ・デ・サンタマリアに就職。少年指導員、母子支援員を経て現職。好きな言葉は「悠々自適」と履歴書に書きました。今も思いは当時のまま。趣味は熱帯魚鑑賞。

篠原惠一（しのはら・けいいち）　施設長
栃木県出身。敬虔なクリスチャンの両親のもとで育つが、中学生より反発。高校2年時に退学し、その後大阪府の高校を卒業。茨城県の大学を卒業し、神奈川県の児童養護施設を経て、1996年カサ・デ・サンタマリアに入職。趣味は、スポーツ観戦、頑張っている人を応援すること。

方こすも（ばん・こすも）母子支援員
社会福祉士、精神保健福祉士。大学卒業後、民間企業に勤めるかたわら外国人相談支援に携わる。（社福）アガペセンターアジア交換研修職員、（財）韓国移住女性緊急支援センター相談員、大和市社会福祉協議会を経て現職。神奈川県社会福祉士会多文化ソーシャルワーク委員、国際ソーシャルワーク研究会会員。

母と子の未来へのまなざし

母子生活支援施設　カサ・デ・サンタマリアの 25 年

2021 年 11 月 10 日 初版第 1 刷発行

編著者　宮下慧子／須藤八千代

発行者　大野祐子 / 森本直樹
発行所　合同会社 ヘウレーカ
https://www.heureka-books.com/
〒 180-0002　東京都武蔵野市吉祥寺東町 2-43-11
TEL : 0422-77-4368
FAX : 0422-77-4368

装　幀　末吉 亮（図工ファイブ）

印刷・製本　精文堂印刷株式会社

ISBN 978-4-909753-12-0 C0036
落丁・乱丁本はお取り替えいたします。定価はカバーに表示してあります。